新潮文庫

ゆんでめて

畠中　恵著

JN263610

9587

目次

ゆんでめて

ゆんでめて

序

長崎屋《ながさきや》の若だんな一太郎《いちたろう》は最初、弓手《ゆんで》、つまり左の道へ進むつもりであった。なのに、右へと駆けていったのだ。

天へ突き抜ける程に青いお江戸の空の下、若だんなは久々に、兄《にい》や達と日本橋へ出かけた。父藤兵衛《とうべえ》の妾腹《しょうふく》の子で若だんなの兄にあたる松之助《まつのすけ》は、数ヶ月前に分家して、小間物屋を開いていた。先に、妻お咲《さき》に子が出来たと聞いたので、祝いを持って行くことにしたのだ。

だが若だんなが駕籠《かご》に乗らなかったものだから、十歩も歩まぬ内に、佐助《さすけ》や仁吉《にきち》があれこれ心配を始める。それもそのはずで若だんなは十日前、熱を出し寝込んでいたし、三日前は咳《せ》き込んで臥《ふ》せった。その上、きっと明後日になれば、新しい病を拾うに違いない、気合いの入った半病人なのだ。

「やはり駕籠が必要です。若だんな、駕籠に乗りましょう。もう二十歩も歩いていますよ」

「佐助、仁吉、兄さんの店は大して遠くないよ。駕籠を呼んでいる内に、歩いてあちらへ着くと思うんだけど」

それでも兄や達が駕籠駕籠と言い続ける。若だんなは軽くため息をついた後、急ぎ話題を変えた。

「兄さんの店、小間物屋の名前なんだけど」

〝青玉屋〟という店名は、若だんなが開店祝いに送った青いギヤマンの根付けにちなみ、松之助が付けたものだ。

「本当は〝せいぎょくや〟と読むんだよ。でも、その方が呼びやすいのかね、近所じゃ〝あおだまや〟とか〝あおだま〟で通ってるらしいよ」

若だんながそう話すと、仁吉がやっと「駕籠」以外のことを口にした。

「ほう、店に呼び名がついたんですか。そりゃあ、商いが上手《うま》くいってる証拠ですよ」

腕の良い手代《てだい》である兄やがそう言ったと聞けば、松之助は喜ぶに違いない。若だんなは顔をほころばせ、佐助に持って貰《もら》っている、反物と菓子へ目を向けた。

「お店のことも子供のことも、本当に良かったねえ。兄さんとお咲さん、祝いの品を喜んでくれるといいんだけど」

「反物は上物《じょうもの》です。大層気に入って貰えますとも」

「……佐助、大福餅《もち》は？」

「そいつは、栄吉《えいきち》さんの作った菓子ですからねえ。若だんな、どうして祝いの品にわざわざ、栄吉さんの菓子を選んだんですか？」

食べた誰かが卒倒しても知りませんよと言われ、若だんなは頬《ほお》を膨らませる。

親友である栄吉の菓子は、確かに出来栄《できば》えを心配される事が多い。もの凄《すご》く多い。だから人様への贈答の品としては、なかなか買って貰えないでいた。栄吉がそのことを気にしていると知っていたから、若だんなは自分で食べる以外の用にも、友の菓子を買いたかったのだ。

「それにね、今日の大福餅は大丈夫なんだ。実は小僧に買ってきて貰って直《す》ぐ、一つ味見をしたんだよ」

ここで若だんなは歩きながら、何時《いつ》になく胸を反らした。そして兄や達の顔を見ると、大層自慢げに言ったのだ。

「この大福ね、旨《うま》くも不味《まず》くもなかったんだ」

すると横で「ほう」と言った佐助が、腕を組み重々しく頷《うなず》く。

「一番得意な大福だとはいえ、不味くなかったとは驚きの話です。栄吉さん、もの凄く菓子作りが上達したってことですよね」

しかし仁吉は横で、首を傾《かし》げている。

「若だんな、菓子屋がそんなことを言われて、喜んでいいもんでしょうかね？」

「とにかく、栄吉は腕を上げてるんだよ。この調子なら、幾らもしない内に修業を終えて、三春屋《みはるや》へ帰って来られるかもしれない」

嬉《うれ》しそうに話している内に、若だんなは倒れもせず、いよいよ日本橋近くへ達した。武家にぼてふり、小僧など、行き交う人は一層多くなり、暫《しばら》くぶりのその人混みへ、若だんなは楽しげな視線を向ける。両脇《りょうわき》に並ぶ店は空へ向け、立派なうだつを上げており、その前では団子屋や辻《つじ》占い、小間物売りなどが、小さな仮の店を広い通りに広げていた。

「ああ、よみうりの口上が聞こえる。調子の良い言いっぷりだね」

その時、材木を載せた大八車《だいはちぐるま》が、車輪を軋《きし》ませ近づいてきた。兄や達は素早く若だんなを脇道へと引っ張った。するとその道の先に飴《あめ》売りがいたようで、ねだる子供の声が賑《にぎ》やかに聞こえてくる。途端「きゅわ」と声がして袖《そで》が大きく震えたものだから、若だんなが笑って飴売りの方を見ると、仁吉がさっそく飴を買おうと言い出した。

「若だんな、飴は喉《のど》に良いですよ」

気の良い飴売りが、多めに袋へ入れてくれる。貰うのを待っているとき、若だんなは道の先を見て少し目を見開いた。二股《ふたまた》に分かれている辺りに、見慣れぬものを見つけたのだ。

「ねえ兄や、あんな所に小さな祠《ほこら》があるよ。どちらの神様かしら」

若だんなは病快癒の祈願の為《ため》、寺社へよくお参りに行く。だから店の近くのお社《やしろ》ならば、大概承知しているつもりだったのだ。

「ここは知らなかったねえ」

そのお社を見ていると、今日たまたま道一本逸《そ》れ近くへ来たのは、ご縁があったからだという気がしてくる。

「お参りしていこう。仁吉、その向こうの分かれ道を左へ行けば、青玉屋へ行けるよね」

「ああ、その方が大通りを行くより、近道ですね」

だが、仁吉から飴玉の袋を受け取って袂《たもと》へ入れた時、若だんなはふと首を傾げた。

「あ……ねえ仁吉、佐助。あそこに、どなたかおわすよ」

急に丁寧な口調となったのは、お社の側《そば》に現れた御仁《ごじん》の後ろ姿が、並の人には見えていない様子だからだ。なにやら迫力がある上に、姿が今様ではない。なのに道をゆく誰も、その御仁のことを気にしていなかった。

(……ひょっとしたら、生目神《いきめがみ》様かしら)

並外れて虚弱であること以外、至って普通の人としてこの世に生まれた若だんなだが、他と違うところがないではない。実は若だんなの祖母おぎんは齢《よわい》三千年の大妖《たいよう》であり、若だんなは妖《あやかし》が分かるのだ。

だから若だんなの周りには、日々数多《あまた》の妖達が集っている。今も若だんなの袂の中には、飴玉をなめている小鬼の鳴家《やなり》達がいるし、住まいである長崎屋の離れには、屏《びょう》風《ぶ》のぞきという妖さえ住み着いていた。二人の兄や佐助と仁吉とて、実は犬神《いぬがみ》、白沢《はくたく》という、人ならぬ者達であった。

そんな若だんなだから、妖以外にも、人ならぬお方と出会った事があった。目の前にいる御仁の背は、少し似ている気がした。好いたお人を失って、風のように姿を消したそのお方は何か寂しげであったたから、とても気にかかっていたのだ。若だんなは、眼前の御仁の方へ目を凝《こ》らした。

「おや若だんな、先に一人で行かないで下さいな」

背の方から仁吉の止める声がする。気がつくと、足が前に進んでいたのだ。お社のお人はまだ、兄や達の目には入っていないようで、若だんなはその姿に引っぱられるように、二股に分かれる道の、少し手前に建つ社へと近寄った。

「生目神様？」

呟《つぶや》いたら声が聞こえたかのように、人ならぬ姿が若だんなの方へ振り向く。

（あ……違う）

思わず足を止めると、あちらはその動きに吃驚《びっくり》したようで、目を見開く。「あの」何と言って良いのやら分からなくて、若だんなは寸《すん》の間《ま》、言いよどんだ。するとそのお方は、どうやら己《おのれ》が人から見られていると、思い至ったようであった。

「あっ」

若だんなが声を上げた。その御仁はいきなり立ち上がると、走り始めたのだ。馬手《めて》へ、右の道へと駆けてゆく。若だんなは思わずその姿を、追いかけていた。

もし、と後年思った。

もし後の事が分かるのであれば、若だんなはその御仁に付いていったりはしなかった。だが若だんなは、名も分からぬ姿を追ったのだ。そして左ではなく馬手、右の方へと足を進めてしまった。

行くつもりは無かった道へ、行ってはならなかった方へ、踏み出していった。

1

時が経《た》つのは本当に早いと、若だんなは思う。友、七之助《しちのすけ》が取り持つ縁で、かなめと知り合ったのは去年だし、花見をしてからは、もう二年経つ。雨の日おねと出会ったのは三年も前、火事の日からは、既に四年も経っているのだ。

青玉屋に生まれた第一子松太郎《まつたろう》は、この春四つになった。

「先だって疱瘡《もがさ》が軽く済んだので、身内で祝いをするそうだ」

祖父である藤兵衛が、これで一安心と、笑みを浮かべながら若だんなに言った。疱瘡は恐ろしい病ではあるが、一度罹《かか》れば二度と取っ憑《つ》かれる事はない。松之助とお咲夫婦も、ほっとしているに違いなかった。

宴《うたげ》の日、藤兵衛と若だんなが、兄や達と青玉屋へ顔を出すと、店奥に設けられた席には、多くが顔を揃《そろ》えていた。お咲の実家玉乃屋《たまのや》からは、両親や姉夫婦、それにお咲の乳母《ばあ》や、青玉屋のかかりつけ医者、祐真《ゆうしん》と娘のみつきもいて、座は賑やかであった。

お咲は、不幸にも二人目の子を出産の時失っていた。その時、助けてくれた医者の祐真に、それ以来ずっと世話になっている。妖に守られている長崎屋と違い、青玉屋は商いも、なかなかに大変そうではあったが、四つの松太郎が元気一杯だったから、店は明るさに満ちていた。

そして。

「一太郎、箸《はし》が進まぬようだが、具合でも悪いんじゃないかい？」

床上げをして間もない幼子がいるというのに、今日も心配をされるのは、若だんなであった。相変わらずというか、四つの子と比べてさえ、ろくに食べることが出来ないでいるのだ。熱が出たかもしれない、いや怪我《けが》の後が悪くなったのかもと、藤兵衛が心配し始める。若だんなは慌《あわ》てて茶碗《ちゃわん》を持ち、言いつくろった。

「大丈夫ですよ、おとっつぁん。美味《おい》しくご飯を頂いてます」

頑張って食べ出したが、一所懸命な割には、何故《なぜ》だか茶碗の中身が減らない。すると向かいから、みつきが声を掛けてきた。

「若だんな、調子良くないみたいですね。もしかしてまた、火傷《やけど》の痕《あと》が痛んでます？　膏薬《あぶらぐすり》を出しましょうか？」

みつきは医者である父を手伝う、明るい十九の娘であった。時折青玉屋で顔を合わせるので、若だんなの体の心配もしてくれる。

「いや、大丈夫」

笑って返答をしたものの、本心を言うと若だんなは、みつきの事が少々苦手であった。何故ならみつきはなかなかに……器量が良かったから、心配なのだ。

情が深そうで少々気が強く、少し若だんなの母を、つまりは多分、祖母のおぎんを思い起こさせる。そして、その手の事に疎《うと》い若だんなにもはっきり分かるほど、みつきは仁吉の事を、大いに好いたらしいと思っているのだ。どうやら、懸想文《けそうぶみ》さえ送っている様子であった。

(仁吉、返事をしたのかしら)

みつきが、仁吉が恋うた相手、祖母のおぎんに似ている故《ゆえ》に気に掛かる。若だんなは今、酷《ひど》く寂しがり屋となっていて、心配性の兄やの関心が余所《よそ》へ行くのが、どうにもつまらなかった。

(ああ、情けない)

だだっこのような身勝手な考えだと、頭の中では分かっている。大体若だんなにも、折に触れて思い出す顔があったりするのだ。

なのに、そうと分かっていても、辛《つら》い気持ちが湧《わ》いてきてしまう。

(きっと……屛風のぞきが、いなくなっちゃったからだ)

そんな時に、また側から大事な誰かが居なくなるかもと考えただけで、火傷の痕が疼《うず》く。兄や達は、どんなことであっても、日々の暮らしの中で時と共に、それこそ怪我が治るように、ゆっくりと忘れてゆくものだと言った。人とは生来、そういう風に出来ているのだと、部屋から屛風が消えた後、兄や二人は繰り返し言ったのだ。

きっと若だんなも、そう思えるようになると。

(なのに……いつまで経っても、そうはならないんだもの)

日々が過ぎても、楽にならない気持ちがこの世にはあることを、若だんなは初めて知った。部屋にいつもの屛風が無いことが、いつまでも気に掛かる。兄や達も気付いているようで、火傷の痕が今でもすっきりしないのは、若だんなの心が晴れないからかと、最近佐助が心配し始めていた。

その時若だんなの横から、明るい声が上がった。

「食べたっ、終わりっ」

若だんなが、茶碗を突《つ》いている間に、小さな松太郎が、さっさと己の膳《ぜん》を空にしたのだ。松太郎は得意顔で、父松之助の皿から更に魚を貰《もら》い始める。

「おや、元気なことだ」

玉乃屋はそんな孫の様子を、上機嫌で見つつ杯を重ねている。直《じき》に酔いで口が軽くなり、藤兵衛と町の噂話《うわさばなし》など始めたので、心配げに己を見てくる視線が減って、若だんなはほっと息をついた。

玉乃屋は、笠《かさ》屋の一人息子が吉原《よしわら》から付け馬を連れて帰ってきた話から、眼鏡屋の娘が一枚絵に描かれたことまで、面白おかしく話している。そして、神のお告げを告知する事触《ことふ》れが現れ、評判になっていると、話題にした。

「いやこの事触れ、当たるという噂でしてな」

事の吉凶を告げ、尋ね人や失《う》せもの探しまで、達者にやってのけるという。

「何しろ、火事で死んだ筈《はず》の子が、実は迷子になっていたのを見つけ出しましてな」

おかげでその事触れは、黄泉《よみ》の国まで覗《のぞ》ける千里眼ではないかと言われ出したらしい。しかも、平素は一文二文貰う者。ご大層な位を持つ僧や神官ではないから、相談事のお代は随分安く済む。その事がまた、事触れの人気を高めているのだそうだ。

「事触れ……事触れって何ですか？」

ここで若だんなが、ひょいと親たちの話に割って入った。すると万事に詳しい仁吉が、横から教えてくれる。

「若だんな、事触れというのは、鹿島《かしま》の事触れの事です」

常陸国《ひたちのくに》にある鹿島神宮は、朱印領《しゅいんりょう》二千石と言われる大社だ。年の初めの春、一年の吉凶を占い、その託宣《たくせん》を神官である禰宜《ねぎ》が、人々に告げたのだという。これが鹿島の事触れであった。

「しかしその内、数多の偽物《にせもの》、騙《かた》り神官が現れましてね」

そして時が過ぎた今、お江戸で鹿島の事触れといえば、家々の門で根拠のない吉凶を告げ、幾ばくかの銭を得ている者達のことを指すようになっている。

「だから事触れのお告げが当たったとしても、偶然ですよ」

藤兵衛が横で、軽く頷いた。

「確かに店へ来て、あれこれ口上を述べては、銭を乞《こ》う者達は多いねえ。いや本当に色々な事をやって、銭を貰ってゆくよ」

座の話題はそこで事触れの事から、物貰い達の様々な芸へと移った。若だんなは、親達の話を静かに聞く振りをしつつ、一人考え込んでいた。

翌日の事であった。本当に、随分久方ぶりに、若だんなは家出をした。

（今は、己の身代わりをしてくれる屛風のぞきが居ないもの。事がばれたら、後で叱《しか》られるだろうねえ）

しかしそれは覚悟の上だ。朝餉《あさげ》の後、兄や達が、廻船問屋《かいせんどんや》と薬種問屋《やくしゅ》長崎屋へ仕事に行ったらすぐ、まず部屋中から金子《きんす》をかき集めた。それから暖かい羽織を着込み、菓子鉢の中身、金平糖《こんぺいとう》や茶饅頭《ちゃまんじゅう》、巻き煎餅《せんべい》などを紙で包み、袖に放り込む。

するとそれを目当てに、鳴家達が三匹程袖内に滑り込んできた。若だんなは出来る限り素早く中庭を横切ると、三番倉の脇《わき》の木戸からこっそりと外へ出る。袖が震えた。

「きゅい、若だんな、どうして一人？」

「叱られるよ。きっと仁吉さんに叱られる。佐助さんが怒るよぅ」

「ぎゅんいー、怖い、怖い」

鳴家達は「きょんげー」「きゅわきゅわ」と言い立て、大げさな程に身を震わせているが、さりとて袖から抜け出て、屋根伝いに帰ろうともしない。若だんなは小鬼達の小さな頭を撫《な》でると、堀川の方へと歩きつつ意を決して言った。

「これから私は、屛風のぞきを取り戻しに行くんだよ」

若だんなは真剣であった。すると小鬼達が、一斉にもそもそと動き出す。

「屏風のぞき？　若だんな、屏風のぞきに会いにゆくの？」

ならば一緒に行って、いままでどこで隠れ鬼をして遊んでいたのか、聞かねばならぬと小鬼達は言い始めた。このままでは鳴家達まで、機嫌を悪くした兄や達に怒られるかもしれないが……どうして居なくなったのか、屏風のぞきへ最初に文句を言う役を、他の鳴家に取られてはいけないと言う。鳴家達は皆、一番が大好きであった。

「きゅわ、若だんな、早く行きましょう」

「そうだね。でも私が早々に草臥《くたび》れて、動けなくなったら拙《まず》い。だから舟を頼もうかね」

幸い長崎屋は、京橋がかかる堀川の近くにある。よって若だんなは簡単に猪牙舟《ちょきぶね》を一艘《そう》見つけると乗り込み、酒手《さかて》をたっぷりはずんでから、船頭にある頼み事をした。

「最近評判の、鹿島の事触れを知らないかい。その人に会いたいんだけど」

火事で死んだと思われていた子が、実は迷子になっていたと見抜いた凄腕《すごうで》の事触れ。もしその男を見つけてくれたら、また同じだけ酒手をはずむと若だんなは約束した。若だんなは寝込みがち、というか、寝込んでばかりで使う暇が無かったので、小遣いの金粒は鳴家達が玩具《おもちゃ》にする程持っているのだ。

「早く探し当ててくれたら、更に上乗せするよ」

船頭は若だんなが上客だと分かると、ぐっと気が利《き》くところを見せた。

「そんじゃあ旦那《だんな》、はい？　若だんなと呼ばれておいでなんですか。ようがす若だんな、まずは盛り場へでも行ってみますかい」

そういう場所には、噂が集まる。船頭はそこで、事触れの居場所を突き止めようというのだ。

「まずは一番近場へ。江戸橋の袂《たもと》へでも」

若だんなが頷《うなず》くと、舟は堀川の上を滑るように進み始めた。

2

猪牙舟の舳先《へさき》の方へ座ると、川面を滑ってきた風が身に当たって少し寒い。袖内《そでうち》の鳴家《やなり》達がしがみついてきたので抱きかかえると、若だんなも暖かくなってほっとする。小鬼へ、小声で話しかけた。

「本当に、屏風《びょうぶ》のぞきがいなくなってから、随分と経つよね」

鳴家達も「きゅいー」と声をあげ頷いている。付喪神《つくもがみ》となった屏風の妖《あやかし》は、若だんながが生まれる前から、ずっと長崎屋にいたのだ。なのに今、離れにその姿はない。

「口は悪かったけど、優しかったよ。私の身代わりになって、外出を助けてくれた。一緒に碁を打つのも楽しかった」

屏風のぞきは、鳴家の良き喧嘩《けんか》相手でもあったのだ。

「なのに……参った」

一体どこで、何を間違ってしまったのだろう。どうして屏風のぞきを、失ってしまったのかと思う。

「取り戻さなきゃ」

失った事が辛いのなら、一所懸命取り戻す努力をしなければならない。そうでないと、納得出来ないではないか。

「きっと、何とかなるはずだ。そうだよね？」

小鬼達は、話が分かっているのかいないのか、袂の中で丸くなりつつ、とにかくうんうんと頷いている。

若だんなは袖内の紙包みから茶饅頭を取り出すと、船頭にいくつか渡してから、鳴家と一緒に食べた。今日は頑張らねばならない。だから力が出るよう、一所懸命食べておくのだ。

江戸橋へ近づいてゆく途中、猪牙舟は何艘もの舟とすれ違った。器用なもので、船頭は舟が近づいて過ぎ去るその短い間に、上手《うま》いこと鹿島の事触れの噂を拾ってゆく。

「事触れ。知らねえか」

「盛り場っ」

「迷子を見つけた事触れっ。どこだ？」

「あーんっ？」

怒鳴った荷舟へ船頭が、「食べとくれ」と饅頭を二つ放ったら、器用に受け取り、にたっと笑った。男は他の船頭にも渡すと、離れてゆく舟から東の岸を指した。

「事触れ、あっち」

若だんな達は舟を東の水路へと向けた。途中で物売りの舟から、若だんなが蜜柑《みかん》を買い、事触れが江戸橋で銭を取って、人の相談に乗っていたと教えて貰う。次の次に会った船頭にその蜜柑を渡すと、盛り場の親分の手下に、追われていた事触れがいたと、そう話してくれた。

「親分？」舟は更に賑《にぎ》やかな岸へと近づく。すると。

「おんや、ねえ若だんな。岸で妙な風体の奴《やつ》が、誰ぞに追いかけられてますぜ。あの格好、事触れじゃありませんかね」

「あれが、鹿島の事触れなの？」

古めかしい狩衣《かりぎぬ》を着て、頭には神官が被《かぶ》るような黒い烏帽子《えぼし》を載せ、衣に幣《ぬさ》をたばさみ、銅拍子《どうびょうし》も持っている。だが今は、それを打つ余裕もない様子で、必死に走っていた。船頭が顔を顰《しか》める。

「こりゃまた、随分と剣呑《けんのん》そうな野郎に、追われてんなぁ」

「捕まっちゃうよ……ああ、捕まった」

若だんなが心配して声を出した時、岸からざわめきが聞こえた。

「若だんな、こりゃ危ねぇ」

船頭が真顔で言った時、若だんなは思わず舟の上で立ち上がってしまった。

「止《や》めてくんなっ」

事触れが喚《わめ》いている。岸で、剣呑な男達に担《かつ》ぎ上げられていたのだ。「ひえっ」止める間もなく、そのまま堀川へと放り込まれた。すると身軽そうなりであったのに、見事に溺《おぼ》れかけているではないか。

「若だんな、こりゃいけねぇや。あいつ、漬け物石の親戚《しんせき》だ。じきに沈みそうだわ」

若だんなが頭を抱えると、船頭は岸近くにいた若い船頭達へ声をかける。

「おぅい、そこで溺れかかってんのを、引っ張り上げてくんな。こちらの若だんなが礼をするってさ。大層気前がいい若だんなだよ」

「奮発しておくんなさい」

そう言って一に飛び込んだ若い男へ、若だんなが大きく頷いたものだから、他にも何人かが続く。おかげで事触れは支えられ水面から顔を出せたが、岸に戻るとまた川底へと沈められそうで危ない。

親切な男達は事触れを連れ、若だんなの舟へと泳ぎ寄ってくれた。若だんなは船頭達に二朱金《にしゅきん》を気前よく配った後、船底に這《は》いつくばった濡《ぬ》れ鼠《ねずみ》に近づき、声を掛ける。

鳴家達が袖口から顔を出し、事触れが生きているか確かめるように、小さな手で突いた。

「あの、評判の事触れって、お前さんのことかい？」

「われは……ごほごほごほ……、あぁぁ、酷《ひど》い目にあったわ」

幸い水は飲んでいないようで、男はとんだ災難に見舞われたことを、まくし立て始めた。

「今日は縁起の悪《わ》りぃ日だったんだ。だからわれはぁ、外へ出るのが嫌だなぁって……」

「おい、お前さん。まずは助けて下さった若だんなに、礼くらい言いな」

船頭がため息混じりに促すと、事触れは首を巡らせ、ここが舟の上で側《そば》には若だんながが居ることに、初めて気づいたようであった。直ぐに濡れた手で掴《つか》んでくると、若だんなが助けて下さったのかと、大げさな程に感謝を表した。

「こいつぁ大層に、おかたじけ。川で神仏に出会ったようだ」

「あのね、そういうお方と出会いたいのは、私の方なんだけど」

若だんなに苦笑され、事触れは水を滴《したた》らせ首を傾《かし》げる。若だんなはその濡れ鼠に、願いを込めて問うた。

「私は予見をし千里先を見る、鹿島の事触れを探してるんだ。神仏のごとき力を持つって噂《うわさ》だよ。そいつは、お前さんかい？」

すると男は、大きくにたぁと笑ったのだ。

「われはさっき、溺れなかったもんでねえ。まだ仏にゃなってないようだ」

若だんなが眉尻《まゆじり》を下げる。すると人違いだったと思ったのか、約束の礼金がふいになると考えたのか、船頭の機嫌が悪くなった。

「ありゃ、役立たずを助けちまったか。若だんな、大金使ってご愁傷様なこった」

業腹《ごうはら》だから、こいつをもう一回川へ突き落としましょうやと船頭が言い、竿《さお》を事触れの喉元《のどもと》に突きつける。濡れ鼠の男は悲鳴を上げ、若だんなに縋《すが》りつこうとしたが、冷たい滴《しずく》を嫌った鳴家が噛《か》みついたものだから、「ひっ」と言い引き下がる。舟の端に追い詰められた事触れは、情けのない声を出した。

「あのな船頭さん、気が短いのはいかん。そのぉ、つまりだぁ、半分は当たっているからして、われを溺れさせちゃいかん」

「半分？　何の半分なんだい？」

若だんなと船頭が揃《そろ》って聞くと、事触れは間《ま》を取るように、濡れた烏帽子の中から水を捨てた。それから、また煩《わずら》わしい事になったと言い、観念したように若だんなへ目を向ける。

「迷子を見つけた千里眼。その噂の事触れは、実はなぁ、われだ。われは確かに、子を見つけた。最近の事だ」

だから噂の主に用があるなら、その男に会ったことになる。ただし、だ。

「われにゃ千里先は見えぬし、神仏の力を持った事もない。そんな事が出来る男を捜しているなら、そいつはわれではないさ」

だがと言い、事触れはぺろりと舌を出した。そういう都合の良い事触れがお江戸にいるという話など、聞いたことはない。

「大体、凄い業《わざ》を身につけた者がいたらさぁ、今時人様から一文二文を貰《もら》う、鹿島の事触れなどしちゃおらんよ」

男は眉尻を下げる。

「この稼業《かぎょう》、実に僅《わず》かな実入りしか無いでな」

「……すると千里眼の話は、ただの噂？」

じゃあ、じゃあ、屏風のぞきはどうなるのと言いかけた若だんなの目に、みるみる涙が盛り上がる。それが頬をぽろぽろと転がり落ちた時、黙り込んだ事触れの頭を、不機嫌な船頭が竿で叩《たた》いた。

3

「私は廻船問屋兼薬種問屋、長崎屋の倅《せがれ》なんだけど、家の離れで寝起きをしていてね。その部屋に、古い古い屏風があったんだ」

半時の後、船頭にたっぷり酒手をはずんでから陸に上がった若だんなは、堀川沿いの蕎麦屋《そばや》の二階へ、事触れと共に上がり込んでいた。事触れは、静かな座敷で着物を乾かす事が出来、ほっとした表情を浮かべている。蕎麦がきをゆるゆると口にしながら、若だんなは屏風のぞきの話を語った。

「数年前、私の親の店近くで火事があった。少し前に火事で一度焼け、建て直したばかりだったから、店の皆は慌《あわ》てたようだ」

火事となったら江戸の火消し達は、焼けそうな家を先回りして打ち壊し、延焼を防ぐ。井戸から水を汲《く》み上げ、それを火にかけていたのでは間に合わないからだ。

今回、幸いな事に長崎屋は焼けなかったものの、火は危うい所にまで迫っていた。よって火消し達は、裏手の長屋を一気に打ち壊したのだ。そしてその時、長屋の近くにあった若だんなの離れまでも、一緒に壊されてしまった。

「私は丁度他出しててね。離れにいなかったんだよ」

勿論《もちろん》、火消しがこの家を壊すと決めたら、その場にいても、文句を言うことなど出来ない。壊されずに済んでも、火を貰ったらどうせ、焼け落ちてしまうのだ。

「でもあの日家にいたら、中のものを出すことくらい、出来たかもしれない」

早くに用を済ませるつもりだったから、本当はとうに戻っている筈《はず》の刻限であった。なのにあの日に限って、若だんなは道草をくい、その途中巻き込まれた事があって、帰宅が遅れたのだ。

長崎屋に戻ったとき、離れは瓦礫《がれき》と化していた。若だんなはそれを見て、立ちすくむしかなかった。

「その時、屛風が焼けたんで？」

どうやら若だんなが、その屛風にこだわっているとみて、事触れが種物の入った蕎麦を食べつつ聞いてくる。だが若だんなは首を振った。

「いや、火は目の前の長屋の所で止まったんだ。だから焼けなかった離れに、屛風は残ってた。だけど落ちた屋根の下で、つぶれてたんだ。火事の煙で燻《いぶ》された上に、縁が折れ、破れ、下張りの紙がはみ出てて」

事触れに言える事ではないが、それでもあの時は、屛風のぞきは確かにまだ、細い声を出していた。そしていい男は消えたりしないと、だから心配するなと、若だんなに向け、気丈に笑ってみせてくれたのだ。

だが本当に、泣きたくなるような一日であった。壊された離れの下には、逃げ損なった鳴家達まで何匹も転がっていて、若だんなは母屋《おもや》の母の居間で、急いで手当をすることとなった。煙に巻かれ、他の付喪神達と一緒に立ちすくんでいたところへ、火消し達に家を打ち壊され、屋根が落ちてきたらしい。

（それでも仁吉に薬を作ってもらったから、鳴家達は何とか元気になったんだけど）

だが、本体が壊れてしまった織部《おりべ》の茶碗《ちゃわん》の付喪神は、もう戻っては来なかった。

「屛風は大きく損なわれ、流れてきた火事の煙で、まっ黒く燻されてた。そしてね、最初に任せた職人は、上手く修理をすることができなかったんだ」

若だんなは口にできないことを、心の内に思い浮かべた。半端《はんぱ》な修理の末、長崎屋に戻された屛風のぞきは、日に日に弱っていったのだ。若だんなは急ぎ、また直しに出した。しかし何度修理に出しても、どの職人も、一旦潰《いったんつぶ》れ大きく損なわれてしまった屛風のぞきを、きちんと救えないでいたのだ。

仕方なく仁吉に薬湯を作ってもらい、屛風のぞきに呑《の》ませてもみたが、それでも駄目であった。徐々に小さくなる屛風のぞきの声を、何年もの間若だんなは毎日離れで聞くことになった。

「焦《あせ》った。もの凄《すご》く焦った。それでおとっつぁんに頼んで、江戸中の噂をかき集めてもらった。屛風の事なら江戸一の腕だという老職人を、捜《や》し出したんだ」

若だんなは兄や達と職人の長屋へ屛風を持って行き、破れ畳に頭をすりつけて、屛風のぞきのことを頼んだのだ。

「その時は、それが一番良い方法だと、そう思ったんだ」

あのままでいたら、その内屛風のぞきが、消えてしまいかねなかった。だから託した。屛風を見て、端《はな》は修理など無理だと渋っていた老職人も、最後には任せろと承知してくれたのだ。ただじっくり隅々まで直すため、時がかかる。いらいらせずに待てるかと聞かれ、若だんなは待つと約束をした。

屏風が戻るまでの間に、裏の長屋は再建されていった。離れも建て直され、以前より広くなったほどだ。鳴家達もじきに戻り落ち着いた。だが。

「屏風はね、帰って来なかったんだ」

「は？　そりゃどうして？」

事触れは蕎麦の椀《わん》を置くと、眉を顰《ひそ》めている。若だんなはあまり食べていない蕎麦がきへ、目を落とした。信じられない事を言われた、あの日の事が忘れられない。

「まめに様子を知らせてくれと頼んでおいたのに、屏風を頼んだ職人からは、二度ほど知らせが来ただけだ。それで迷惑かと思ったけど、職人の長屋へ様子を見に行ったんだ」

すると、当の老職人は長屋に居なかった。部屋には既に別の男が住んでいたのだ。

「へっ？」

「老職人は、亡《な》くなったんだそうだ。卒中だったって」

一人暮らしの老人であった。近くに嫁に行った娘はいたものの、急に身罷《みまか》った親の仕事のことなど、全く分からなかったのだ。娘に会うと、困った故《ゆえ》、いつも仕事を回して貰っていた店の手代に長屋へ来て貰い、預かっていた品を持ち主に返したと言った。

「だけど私が預けた屏風《びょうぶ》は、帰って来なかった。いつもの店の品じゃ無かったからか、そんな屏風の行方は、誰も承知していなかったんだよ」

慌てて探しても、長屋にも、商い相手の店にも、娘の所にも、どこにも古い屏風はなかった。壊れ、破れ、火事の煙を浴び煤《すす》だらけになった屏風であったから、誰も大事な品だと思わなかったらしい。長屋にあったはずなのに、どうしても在処《ありか》が知れないのだ。

「私はそれからずっと、探してるんだ。でも、見つからない」

若だんなの声が、か細くなってやがて途切れる。すると事触れはゆっくり湯飲みを置き、何とも言いにくそうに話し出した。

「若だんな、家族のいない老人が亡くなったんだ。長屋に残ったもんは、古道具屋へでもまとめて売ったんだろうよ」

それを、野辺《のべ》送りの費用の足しにでもしたはずだ。

形見分けをしたにせよ、長屋から出た古物は多くはあるまい。後を辿《たど》るのが、難しいはずはないな。だが小さいもんでもないのに、屏風が見つかっていないときた。

事触れが、若だんなを見つめる。

「こう言うのは気の毒だけどねえ、その屏風、風呂《ふろ》の焚《た》き付けにでも、なったんじゃないかい？」

するとと若だんなは頑固な表情をして、首を振る。

「違う。だって要らない木っ端《こっぱ》を引き取って、燃やしたっていう風呂屋へ行ったんだ。けど、屏風の欠片《かけら》も無かったもの！」

若だんなはその時、まだ燃えさしが残っている焚き口へ手を突っ込んで、必死に探したのだ。付き添っていた兄や達が、悲鳴を上げたのを覚えている。もの凄い勢いで後ろへ引かれたが、手が火傷《やけど》を負っていた。

「あそこには、屏風はなかったんだ」

「あんなぁ、老人の葬式はとうに終わってたんだろ？　屏風を燃やしたかもしれない日から、かなり経《た》ってた筈《はず》だな。焚き口にゃ、何も残っちゃいまいよ」

益々困ったような顔をした事触れが、火傷の痕《あと》が残る若だんなの手を見る。若だんなは言い返そうとして……言葉に詰まった。どうしても、違うとの一言が出ない。その内、何故《なぜ》だか目に溢《あふ》れてくるものがあった。

だが。

それでも、また首を振った。屏風のぞきは、誰かが気まぐれに持って行ったのかもしれないではないか。いや、風呂屋が焚き付けを取りに来たと知って、己で何とか逃れたということも、あり得る。皆、屏風のぞきが付喪神《つくもがみ》だと知らないから、己で動けるとは思っていない。だから、だから、もうこの世にはいないようなことを言うのだ。

若だんなは真《ま》っ直《す》ぐに、事触れを見た。

「御身《おんみ》は先に迷子を見つけた。お願いだから今度はその屏風を、探しておくれでないか」

手間賃はたんとはずむ。もし見つけてくれたら、それこそ大枚を払ってもいいからと懇願すると、事触れは呆然《ぼうぜん》とした表情を浮かべ、若だんなを見てくる。

(あ、断られる)

そう感じた。見つけられないと判断し、断ってくる。そう思った。きっとこの事触れは、金だけ掠《かす》め取って逃げるような悪では無いのだ。だから、うんと言わない。そう思うと、返事を聞くのが一層怖くなった。

するとまた涙が零《こぼ》れそうになる。しかし、屏風のぞきを見つけていないのに、こんな所でめそめそ泣く訳にはいかない。若だんなは代わりに唇を噛み、顔を上げ事触れを見た。

「あの日、私は外出の途中、分かれ道を左の道へ進むつもりだったんだ」

「……左の道？」

なのに興味を持った事があって、若だんなは右へと進んでしまった。あげく、その先に待っていた事に巻き込まれ、それで随分と帰宅が遅れてしまったのだ。

「あの時右へ行かず、素直に左へ向かってたら、何かが変わっただろうか」

そうしていたら何事もなく、長崎屋へ早く戻ったかもしれない。店にいたら半鐘《はんしょう》の音を聞いて直ぐ、部屋の下の穴蔵を開け、離れの品を入れられた筈だ。きっと間に合った。何も傷つかなかった。

(屏風のぞきは今、新しい離れに居たはずなんだ。他の妖《あやかし》達だって無事だった)

若だんなは口に出来ない数多《あまた》の言葉を飲み込み、また下を向く。

「どうしてあの時、右へ行っちゃったんだろう」

もう千回、万回、若だんなはこの問いを己に繰り返しているのだ。人に先の事など分かる筈もないことは、重々承知している。けれども、それでも。

(考えずにはいられない……)

やっぱり泣いてしまったのだろうか。膳《ぜん》の上に何かが落ちる。すると。

「ああ、若だんなはその後悔に、取っ憑《つ》かれてんだね」

事触れはくいと片眉《かたまゆ》を上げると、幣帛《へいはく》で己の肩を叩き片膝《かたひざ》を立て、大きくため息をついた。そういえば若だんなは命の恩人であったなぁと、思い出したようにぶつぶつと言う。

「しゃぁねぇな、雇ってくれんなら、その古い屏風とやらを探してみようかの。さもないと若だんなは、いつまでも一人、ふらふら探しそうだ」

だが、と事触れはここで言葉を切る。

「だけどさぁ、われは聞きたくもない答えを、言うことになるかもしれんよ」

若だんなを見つめる事触れは、ごねる子分を見つめるがき大将のような、そんな表情を浮かべていた。己で先など見えないと言ったのに、分からないままで終わるとは、一言も言わない。若だんなは手で頰をぬぐうと、久々に先に進めている気がして、ほっと息をつき頷《うなず》いた。すると事触れが笑う。

「権太《ごんた》だ」

「はい？」

「俺の名はぁ、権太だ。事触れは幾らもいるからな。暫《しばら》く付き合う気なら、名前で呼んでくんな」

若だんなも名乗り、急ぎ金子《きんす》を支払おうとすると、先に蕎麦がきを食っちまいなと言われ、急いでもう一度どんぶりを手に持つ。これからあれこれ調べて回るのなら、確かに腹ごしらえは必要であった。

4

蕎麦は食べたし張り切りはしたものの、若だんなの体は、急には強くならない。そして権太が、突然屛風のぞきの行方を思いつくこともなかった。

「しょうがないわな。とにかく古道具屋を回って、屛風の行方を探ってゆこうかね」

二人はまず、江戸橋近くの店を回ることにしたのだ。しかし、愛想良くする店の者は少なかった。

「つぶれた上に黒く燻された屛風？　うちはきちんとした品しか、扱っていませんよ」

二軒目では、露骨に嫌な顔をされ、三軒目は黙って顔を横に振られた。四軒目の番頭は「ない」とだけ言い、五軒目の主《あるじ》は、若だんなが疲れた様子であったからか、同情気味に品のないことを告げた。

六軒目の店の前で若だんなは思い切り転び、袖内《そでうち》の鳴家《やなり》達が悲鳴を上げた。

「おいおい、大丈夫かい？」

意地で起き上がり、権太には大丈夫と言ったものの、七軒目で怒鳴られたとき、若だんなは足を引きずっていた。

権太が若だんなの背中を軽く叩《たた》いて、いつになく優しい顔をした。

「やんれ、仕方ないわな。儲《もう》け話じゃ無いときゃ、商人は厳しいからねぇ」

事触れは、店先で縁起の良い事を言い一文二文貰《もら》うのが生業《なりわい》だが、その小銭すらよく断られると軽く言う。

「もちろん凶事なんぞ告げた日にゃ、店から叩き出される」

ここで権太は若だんなの腕を支えると、少し休もうと言い道端の茶店を指さした。

「だけど余り、はかが行ってないよ。もっと急がなきゃ、ろくに店を回れない」

「若だんな、今にも倒れそうな顔色をしてるよぉ」

一息つけと言われ、床机《しょうぎ》に座ることとなった。暖かい茶を手にすると、ほっと息が漏れ、袂《たもと》がもそもそと揺れるのが分かった。いつも寝込んでばかりで、大して歩いたことがないから総身《そうみ》が痛む。若だんなが己で背や足をさすっていると、小鬼達が顔を出して来たので、袖で隠して茶を飲ませた。

（だけど、泣き言など言っちゃおれない）

きっと今頃、長崎屋で兄や達が怒っているだろうと思う。諦《あきら》めて店へ帰ってしまったら、次はいつ外出できるか分からないのだ。時が過ぎれば、屏風のぞきの行方は、益々摑《つか》みづらくなるに違いなかった。

「やぁ、あられ入りの茶か。今日は贅沢《ぜいたく》してるねぇ」

横で茶を嬉《うれ》しそうに飲んでいた権太が、じきに座ったまま、ひょいと道端の石ころを拾う。それから石で、絵のような字のようなものを地面に描いた。

こうして休んだ時など、権太は時折それを描いていた。そして何やら唱えつつ、描いたものの端に幣帛を立てる。幣帛が倒れた方角に探すべき古道具屋があるはずだと言い、二人はそちらへ足を進める事になっていた。

「権太、いつも何を言ってるの？」

茶を飲みながら、気になって尋ねてみる。すると権太はぺろっと舌を出した。

「何、これでも吉凶を占う鹿島の事触れだかんな。それらしい格好を整えてる訳さ」

権太によると、鹿島の神様に力を貸して頂き、道を示してもらう為《ため》の言葉だという。仁吉によると、今の鹿島の事触れは偽物《にせもの》ばかりの筈なのだが、律儀《りちぎ》なのか権太は鹿島神宮の名を時々口にする。

「ずいぶんとちゃんとしてるんだね」

そう言うと、権太は笑って、一休みしたら今度はあっちへ行こうと、大通りの先へ目を向けた。

ところが。

「いかん、拙《まず》い。若だんな、立っておくんな」

慌《あわ》てた様子の連れを見て、若だんなは急ぎ床机の上に、幾らかの小銭を置いた。二人で店から出つつ、どうしたのと言いかけ、道の後ろを見て理由を悟った。先ほど舟の上から見かけた、それは剣呑《けんのん》な男達が、どういう訳か真っ直ぐに、こちらへ駆けて来ているのだ。

「権太を追って来てるの？」

「初志貫徹したいんだろうねぇ。勤勉なこったっ」

先刻水に放り込んだだけでは、気が済まなかったらしい。ちゃんと沈まなかったのが、業腹《ごうはら》だったのだろう。だが男達に志を遂げさせると、権太は溺《おぼ》れて魚の餌《えさ》になるかもしれない。

(餌が、屏風のぞきを探してくれることは無いよねえ、きっと)

よって何としても、この危機から逃れなくてはならないが、若だんなは足が痛かった。

(このままじゃ、捕まっちゃう)

必死についていった若だんなは、道を曲がった時、権太の手を摑むと、咄嗟《とっさ》に手近な店へと飛び込んだ。

「おい、こんな所で止まって、どうすんだよ」

見つかっちまうと言いかけた口を指で塞《ふさ》ぐと、若だんなは二分金を取り出した。そしてあっけにとられている店主の手へ握らせ、小声で二階はあるかと問う。すると領いた店主は、手妻《てづま》のように奥から梯子《はしご》を取り出し、天井の端へ掛けた。二人は急いで狭い二階へと上がり、梯子を下から外して貰ったのだ。

「若だんなってぇ名前は、伊達《だて》じゃあないんだな。金をぱっぱと使うこと」

隠れて余裕が出来た途端、権太が嫌みにも聞こえる事を言う。若だんなは助けた相手に、使った金子の言い訳をする羽目になった。

「いつもは寝付いてばかりで、団子すらろくに買えないもの。金子は減らないんだ。それに、使うべき時にちゃんと金を使えないと、一人前の商人になれないって、おとっつぁんに言われてるよ」

その時、店の前を走り抜けてゆく足音が聞こえ、二人が黙り込む。

（四人……いや五人か。あ、足を止めた。思っていたより、追っ手の人数が多いね）

つまり男らは、真剣に権太を捕まえる気でいるのだ。

「権太、何をやったの？」

若だんなが小声で問うと、権太が一寸《ちょっと》口元をひん曲げる。だが直ぐため息をつき、話し始めた。

「われが迷子を見つけたことが、噂《うわさ》になったのは知ってるよな。んで、若だんなのように、頼み事をしてきた御仁《ごじん》がいてさぁ」

少し前のことだ。ある地回りの男が、お祓《はら》いをしてくれと言ってきたのだ。息子が病で亡《な》くなった後、今度は十七の妹が、得体の知れないものに取っ憑かれたのだという。

「何だか時折、別の者のようになるとかで」

地回りは焦《あせ》っているのか、祓えるかどうか権太が返答をする間も与えず、強引に家に連れて行ったのだ。

「憑かれたという娘に会ってみると、おくみさんという名で、かわいい顔をしてたよ。その娘がね、われの前に座ると、至って真面目《まじめ》にこう言ったんだ」

己の側《そば》にいるのは、先頃亡くなった兄の魂なのだそうだ。

「だからおくみさんは、親が何と言おうが、その〝兄さん〟を祓って欲しくないそうで」

おくみの中に居るようにも見えなかったから、権太は娘に、その兄はどこにいるのか問うた。憑いた物が身近にあるかもしれぬと踏んだのだ。しかし、おくみは全く話をせず、ただ帰ってくれと頼むばかりであった。

「取っ憑いたもんは、どうも強そうでな。お手上げになっちまってぇ」

困った権太が、金も受け取らず帰ろうとしたら、放り出す気かと地回りが怒り、手下達に殴られそうになった。何とか逃げた。

「つまり、われを追っかけてる怖い衆は、多分地回りの手下達だわ」

権太がため息と共に語り終わった時、若だんなは食い入るように権太の顔を見ていた。

(怪しきものがいる？　もしかしたらそれ……屏風《びょうぶ》のぞきじゃないかしら)

燃やされそうになった妖は、古道具屋から逃げ、何かの理由で娘と知り合ったのかもしれない。屏風から出た妖は、十七の娘の兄くらいに見えた筈《はず》だ。娘はそんな屏風のぞきを、亡くなった兄が化した姿だと思い込み、己の部屋に隠したのではないだろうか。

あり得る話であった。大いにあり得る。

(きっとそうだ！)

若だんなは、胸の奥に灯がともるのを感じた。

(その娘さんに会いたい。隠しているものが何か……屏風じゃないかどうか確かめたい)

しかし、だ。権太は怒りを買って、追われている身であった。地回りに出会ってしまったら、今度こそ浮かび上がらないようにして、水の流れに投げ込まれてしまいそうなのだ。下手をすれば一緒に逃げている若だんなも、問答無用で運命を共にすることになる。

(川へ放り込まれたら、溺れなくとも大熱を出して、あの世へ行きそうだね)

とてものこと、地回りの家へ行こうなどと、言えたものではなかった。

(どうしよう、どうすればいいのかしら)

若だんなが眉尻《まゆじり》を下げた、その時であった。袖内で、鳴家達がいきなり慌てたように動いたのだ。

(あれ、お前さん達、どうしたんだい?)

驚いて訳を聞こうとしたとき、口を開くより早く訳が分かった。梯子がいきなり、下から掛けられたのだ。

「こいつぁ……隠れているのがばれたのか」

権太が隣で、顔を引きつらせる。若だんなは、登り口から下を覗《のぞ》いて、思わず小さなうめき声をあげた。先ほど金子を握らせた店主が嬉しげな顔をして、手下達から二度目のあぶく銭を稼いでいたのだ。

「やられた」

こうなったら逃げ場はない。二人はあっさり手下達に、捕まえられてしまった。

5

「権太、その……あの娘さんが、かわいい十七のおくみさん？」

二人が地回りの手下達に連れて行かれたのは、江戸橋の盛り場からほど近い、裕福そうな家であった。店ではないから、表通りからは道一本引っ込んだ所にあったし、庭などほとんど無い。

しかし意外に広かった。どうやら隣り合う大小二つの建物を、後から繋《つな》いだようだ。その小さい方の棟の土間で、縛り上げられた二人を待っていたのは、地回りでも男でもなかった。

「ああ、あれが親分の娘、おくみさんだ。確かにその筈、なんだが」

権太はそう言ってから、己で首を傾《かし》げている。部屋内にいるのは若い娘ではあったが、目の下に隈《くま》を作り低い声を出し、父の手下共を顎《あご》で使っており、どうにも迫力があった。

若だんなは首をすくめ、袖の中の鳴家達ときたら、おくみの声を聞くとぷるぷると震えだしている。

「こりゃひょっとして……」

まずったと言い、権太が小声でうめく。おくみは〃兄さん〃と呼んでいたものに、早々に乗っ取られかけていると、そう言うのだ。するとおくみが近寄ってきて、土間に座っている権太を見下ろした。

「おとっつぁんはね、最初坊主《ぼうず》を呼んだけど、そのなまくら坊主には、兄さんは祓えなかった。だから安心してたの」

だが地回りは、変わってゆく娘の事が心配だったのだろう。坊主や神官達を次々に呼び失敗したあげく、最後に権太を呼んだのだ。権太はお祓いをしないうちに逃げだした。だが、いい加減他に当ての無くなった地回りは、とにかく権太にもお祓いをさせたいらしい。

つまり権太を追っていた手下達の内には、おくみの手の者と、父親配下の者がいたようだ。ここでおくみは、「でも」と続けた。

「あたしはそんなこと、して欲しくはないの」

絶対に嫌だと言い、ちらと横手の襖《ふすま》へ目を向けた。

「だって、この事触れが家に来るのを、〃兄さん〃が嫌がってるのよ」

千里眼を持ち、吉凶を予言し、子の行方すら知ることが出来るという事触れだ。ひょっとすると存外強くて、兄を祓う力を持つのかもしれぬと、おくみは心配していた。

「だからね、あたしは手下達に金子《きんす》で話をつけて、先にお前さんを捕まえたの」

ここでおくみが浮かべた笑い方は、欠片《かけら》もかわいくないものであった。若だんなは思いついた事があって、横から問うた。

「おくみさん、今朝方権太を……事触れを川へ放り込んだのは、親分じゃなくて、おくみさんの手下なのかい？」

「おや、それを知ってるってことは、あんたが舟で事触れを助けたっていう、若い男なのね。余計なことをして」

おくみは、おのれから兄を奪おうとする者のことを、なべて許さないのだ。娘の口元が歪《ゆが》み、手下を呼んだ。

「さあ、今度こそさっさと、二人を川に流してしまいましょ」

あっさりそう口にすると、おくみは舟を用意すると言い、先に外へと出て行く。周りにいた手下達が、いささか驚いたような表情を浮かべ、その後ろ姿を見ていた。

「もしかしたら、おくみさんは日頃は、優しい、情の深い娘っこなのかもなぁ」

権太が、ちらりと手下達を見ながら言う。

「先に会った時と比べても、今日の様子は変だよ。やっぱ、おくみさんは間違いなく、何かに取っ憑《つ》かれてるんだ」

あの時、逃げずにお祓いをしておくべきだったと、権太はため息をつく。そして座ったまま、未《いま》だおくみの出て行った方を見続けている手下達へ、小声で話しかけた。

「おくみさんを、このままにしておいちゃ駄目だ。取っ憑いている奴《やつ》に、総身を乗っ取られてしまったら、元に戻れなくなるよ」

すると手下が、ぶるりと身を震わせた。

「あんた、何とか出来るのか？　一度は逃げたじゃないか。他の奴は皆、しくじった」

「だって、難しそうでさぁ」

だがこうなったら、しょうがない。そいつを祓ってみるから、早く縄を解きねぇと口にする。

「とにかく、おくみさんがこの場を離れた今この時が、その〝何か〟を祓う好機だわさ」

「わ、分かった」

手下はしかめ面《つら》を作った後しゃがみ込み、権太の縄に手をかける。

「お嬢さんは、本当は大層優しいお人なんだ。助けておくんなさい」

「ならついでに聞く。お嬢さんが変になったのは、何かが来てからじゃないかい？　お前さん達なら、分かってるんじゃないか？」

権太は隣の部屋との境、先程おくみが見た襖へと視線を向ける。手下は寸の間黙っていた後、権太に小声で耳打ちした。

「板に描かれた絵だ。亡くなった兄御に似ているからと、お嬢さんが古道具屋から買ったんだ。それしかないと思う」

(板の絵？)

耳にした若だんなの体に、震えが走った。それは畳まれた屛風の、間違いではないのか。いや老職人が、壊れて脆《もろ》くなった屛風絵を支えるために、一時板戸に絵を貼《は》り付けておいたのかもしれない。

(屛風のぞきかもしれないよ)

屛風のぞきが、娘に取り憑く筈はないと思うが、本体が壊れ、一時暴れているのかもしれない。それを確認せずに、絵を権太にお祓いされては、大変な事になってしまう。

（権太のお祓い、きっと効くと思う）

若だんなは今日ずっと共にいて、権太のことを、ただの物貰《ものもら》いとは思えなくなってきていた。若だんなは人ならぬものが分かるから、権太が妖《あやかし》でないことは承知している。しかし事触れは迷子を見つけている。古道具屋を求めて占った先には、必ず店があった。

（権太に、いきなりお祓いをされては大変だ。それは駄目だ）

とにかく憑きものを祓うのは一時止めて、話を聞いて貰わねばならない。しかしそう思っている内に、先に縄を解かれた権太が立ち上がり、隣へと目を向けた。

「あ、あのっ。待っておくれな」

若だんなが急いで立ち上がると、襖の方を向いていた権太が、何故《なぜ》だか小さく息を吐き振り向いた。それから紙垂《しで》の揺れる幣《ぬさ》をざっと一振りし、怖い顔で若だんなの足を止める。

そして突然、若だんなはこの部屋から出ろと、そう言い出したのだ。

「……何で？」

「われはこれから、あのお嬢さんに取り憑いたものと対峙《たいじ》する。必死にやらなきゃ無理だろう」

そんな時に、後ろから邪魔されるような事があっては、困るというのだ。

「じゃ、邪魔って……」

「おや慌《あわ》ててるね。図星かい？　今、待てと言ったものな。若だんなは隣にある板絵が、探している屏風かもしれないと、そう思ったんじゃないかい？」

つまりその屏風は、お嬢さんに取っ憑いてもおかしくない、尋常ならざるものなんだろうと、権太が勘良く口にする。

「今回の屏風探しは、どうも妙な依頼だったからなぁ」

若だんなは煤《すす》け壊れ役に立たなくなった屏風を、大枚を掛け元に戻そうとした。あげく、その壊れ屏風が無くなったからと、必死に探し続けている。

「つまり、常とは違う品であったから、諦《あきら》めきれないんだろう？」

ずばりと言われ、若だんなは両の手を握りしめる。

「だがね若だんな、見ただろう？　おくみさんは今、剣呑《けんのん》なことになっている。助けなきゃならん。隣にある怪しのものを、放っちゃおけないんだ」

権太が桁外《けたはず》れに強ければ、あっさりそいつを押さえ込み、おくみを助けた上で、若だんなの屏風かどうか、確認して貰う事が出来るかもしれない。しかし。

「われじゃ祓えるかどうかすら、分からん。先に、こっちが逃げ出した程の相手だからな」

だから権太には、力を抜く余裕はない。よって出会い頭に、全力で祓うつもりだと言われ、若だんなは寸の間立ちすくんだ。

「祓うって……」

今度こそ屏風のぞきを、この世から消すというのだろうか。

若だんなが権太と共に探したから、屏風のぞきは祓われてしまうのか。

最初に壊れたとき、ちゃんと直してあげられなかったから、こうなったのだろうか。

あの日、あの時、右に曲がってしまったから、家に帰るのが遅れたから、己のせいで屏風のぞきは失われるのか。

火事の日、鳴家《やなり》達は大けがをした。茶碗《ちゃわん》の付喪神《つくもがみ》は、永遠に戻って来ない。その上今、また大事な友を失ってしまうのか……。

(分かってる。娘さんを助けなきゃいけないんだ。だってこのままじゃ、おくみさんはどうなるか分からない……)

万一取り憑いたのが屏風のぞきだとしたら、正気を失っているのかもしれない。若だんなは屏風の持ち主だからこそ、ちゃんと判断しなければならないのだ。もう子供ではないのだから、やらねばならないことを、間違ってはいけない。若だんなは正面から権太を見た。

そして、そして……。

「分かってる！」

口から飛び出たのは、己でも思いも掛けなかった程の、大きな声であった。口にした途端、急ぎ口元を押さえたが、遅かった。表からおなごの声がして、すぐにこちらへ駆けてくる下駄の音が続く。権太の顔が歪んだ。

「若だんな、情けのないことをしてぇっ」

わざとやったと思ったのか、権太が怖い表情で幣を握った。

「違う。いや、私は……」

私は、何なのか。若だんなは己のやったことに、呆然《ぼうぜん》としていた。何としても板絵を己の目で、確かめたかったのだ。誰の絵だか分からぬまま、目の前で祓われてしまうのは嫌だった。すると口から声が飛び出していた。

（身勝手だ……）

いつも皆から大事にされ、皆のことも思ってきたつもりでいたのに。なのにいざとなったら、このざまだ。何としても、どうしても、友のことを諦めきれず、喚《わめ》いたのだ。

(これが、私なのか)

立ち尽くし、次の言葉すら出ないでいる内に、おくみが外から駆け込んできた。若だんなと権太が縄から解かれているのを見ると、途端、眉間《みけん》に深い皺《しわ》を寄せる。

「これはどういうことよ」

返答に困る父の手下を、迫力のある怖い顔でねめつけた。

ところが。

おくみが突然黙ったのだ。そしてふらふらと襖の方へ向うと、気味が悪いほどに無表情となる。その後再び笑みを浮かべたが、それは、優しい笑みでも機嫌の良い笑いでもなかった。

その顔は、先程より更に大きく変わっていた。もはや〝かわいい〟娘の面影など、ほとんど消えてしまったのだ。

(まるで別の人が、おくみさんの内から現れてきているみたいだ)

若だんなは思わず一歩、おくみから身を引く。その隣で権太がうめいた。

「取っ憑いてる〝何か〟が、勝負に出たか。こいつぁいよいよ、いけない」

いつになく真剣な表情を浮かべると、権太は姿勢を正す。そして幣を両の手でうやうやしく持ち上げると、その幣に向け、一つ静かにお辞儀をしたのだ。

それを見たおくみは、幣から身を引いた。権太が一歩迫ると、広くもない部屋の内で、おくみは襖の前に追い詰められる格好となった。更に一歩権太が前へ進むと、おくみは襖に手を掛け、さっとそれを開けた。

その時。

「ぴぎゅわーっ」

鳴家の悲鳴と共に、どんと身を打ち付けるような風が、隣から吹き込んできた。小鬼達は袖内《そでうち》で、揃《そろ》って身を縮める。足を踏ん張り、若だんなが風の元へと目を向けると、隣の部屋は何故だか黒く塗りつぶされていた。

6

「いや違う……板絵が、黒いんだ」

目に飛び込んで来たのは、何故だかほとんどが黒く塗りつぶされた板絵であった。

その下に屏風《びょうぶ》のぞきの姿がないか、目を凝らして見るが、絵は黒ばかりではっきりしない。若だんなは諦めきれなかった。

「屏風のぞき？」

思い切って小声をかけたが、返答はない。よくよく見ると、板絵の黒は所々薄い茶色になっていて、その箇所は線が下に見える。

ここでおくみが、部屋にあった剃刀《かみそり》を手にし、絵と権太の間に立ちはだかった。刃を喉《のど》に当て、権太に見せつける。

「帰って。さもないと喉を切るわ」

「は？」

「ここであたしを取り押さえても無駄。おなごは毎日包丁を握るし、剃刀も扱うもの」

茶碗が割れれば、その破片で身を切ることだって出来る。つまり権太にはおくみの身を、ずっと守り続ける事は出来ないと、そう言い出したのだ。だから負けを認めて帰れという。

「ああついでに、怪しいものは無かったと、おとっつぁんに言っておいてね」

そうすればおくみは、一層安心する事が出来る。権太は幣を身の前に突き出した。

「あの板絵が、妙な代物《しろもの》じゃないって？」

「邪魔をしないで。あたしはこの家と、おくみという娘が気に入ったんだから」

よって、ここにいる。そう言われ、権太の顔が強《こわ》ばった。思い切り嚙《か》みしめた唇から、赤い血が一筋落ちてゆく。そして若だんなは……短くため息をつくと、目に滲《にじ》んできたものを、この場ではこぼすまいとでもいうように、天井を向いたのだ。

「……そうか。そうだよね」

「どうすりゃいいんだ」

それ以上歩を進める事が出来ない権太は、うめいている。おくみを救いたいのに、当の娘に阻《はば》まれ、手も足も出ず情けない思いに包まれているのだろう。その姿はまるで、屛風のぞきを救えないで居る若だんなのようであった。思わず、言葉がこぼれた。

「参った……屛風のぞきじゃないよ」

目の前にいる怪しの者は、違うのだ。あれは狂ってなどいない。なのに若だんなの事も分からぬ妖が、屛風のぞきである訳がなかった。それに馴染《なじ》みの友は、おなごを乗っ取ろうとはしない。どこへ行こうと、どんな様子になろうと、間違っても己以外のものになることを、承知する妖ではなかった。あの怪しきものは、絶対に屛風のぞきではない。

「ここにもいなかった」

若だんなは歯を食いしばった。

「きっともう、どこにもいない」

とうに分かっていなければいけないことであった。その事実から、逃れていた已がいた。

「……あっ」

涙が目に溢《あふ》れてきた。止める事が出来なくなりそうだった。妖の友が、どこかにいると思い込む事は、もう出来なかったからだ。

若だんなは涙がこぼれるのも構わず下を向き、懐《ふところ》に手を入れる。おくみと権太は、まだお互いに睨《にら》み合ったままでいる。横で泣きべそをかき、ぼうっと立っている若だんなの事など、どちらも気にもしていない。

だが。

(相手が怪しの者なら、私の方が権太よりも詳しいよ、きっと)

長崎屋には、長年一緒にいる妖の仲間がいる。そして何より、若だんなは大事な妖の友を、失った所であった。どうすれば妖がその力を失い、本性を危うくすることになるか、身に染みて分かっていた。

袖内にある菓子の袋へと手を伸ばし、取り出す。するとおやつの時と思ったのか、鳴家達が若だんなの手や肩に乗ってきた。今はそれに構う事無く、若だんなは金平糖《こんぺいとう》を手に一杯、握りしめる。それを見た鳴家達も、「きゅい？」「ぎゅげ？」と言いつつ、やっぱり金平糖を手に持った。

若だんなは、二人が見合ったまま互いに動けずにいるのを幸い、身を低くしてこっそり隣の部屋へと入った。板戸の前へゆくと、急にひんやりしたように感じる。近くでよくよく見てみると、板絵を塗りつぶしている黒いものは、こびりついた血のようであった。だから所々色が薄く、茶色になっているのだ。

（板絵の付喪神が、血で狂ったか）

もしかしたらこの板絵の前で、誰かが殺されたのかもしれない。だとしたら、哀れな板絵だと思う。こうしておかしくなったのが屏風のぞきであったら、どうするかもっと迷ったとも思う。

でも。

（この妖を、このままにはしておけない）

一日探し回って、行き着いたものであった。だから、己で事の結末をつけることにした。若だんなはそう決めたのだ。

「……助けてあげられなくて、ごめん」

低くそう言うと、若だんなは黒い板絵の上に、両の手を押しつけた。そして一杯の堅い金平糖を押し当てるようにして、上から下へ、その堅いいぼで、思い切り板絵を引っ掻《か》いたのだ！

「ひえっ」

板から薄く、黒っぽい何かが剝《は》がれ落ちた時、背の方から短い悲鳴が聞こえた。まるで、屛風のぞきを痛めつけているかのようで、己の身がすくむ。思わず総身が震えて、寸の間手が止まった。

(ここで、止めるわけにはいかないっ)

歯を食いしばり、金平糖を握る手に力を込めた。必死で腕を動かすと、数多《あまた》の黒い破片がまた、微《かす》かな音と共に足下に落ちてゆく。鳴家達も、「きゅんがー」という声と共に板に飛び移ると、若だんなを真似《まね》、小さな手一杯の金平糖と共に、板絵を削りつつ降りる。

「若だんなっ」

引きつった権太の声がした。背中の直《す》ぐ後ろに、誰かが迫っているのが分かった。おくみが、いや、おくみに取っ憑《つ》いた板絵が、あの剃刀を振りかざしているのかもしれない。板絵と若だんな、どちらがこの世から消えて無くなるか、瞬《まばた》きをする間の勝負となった。あの剃刀が首筋を切り裂いたら、若だんなはまた三途《さんず》の川へ行くことになる。今度は、帰ってなどこられないだろう。

ざりっ。手にした菓子が、板絵の上で嫌な音を立てた。

（ごめんっ、ごめん、ごめんごめんごめんっ）

背後から何かが落ちてくる。

（おっかさん、おとっつぁん、みんなっ）

若だんなは目をつぶった。権太の声がする。仁吉と佐助の顔が浮かんだ。母や父、妖《あやかし》、沢山の人の顔が浮かんでは、消える。

（それから、それから）

ごんという音が響いた。

振り返る。床の上へ、おくみが転がっていた。

若だんなは、立ち上がることも出来ないほど疲れ切って、しばし地回りの家の縁側で、休ませてもらうこととなった。

倒れた後、母屋《おもや》へ運ばれたおくみは、じきに気がついたようだ。そして幸いな事に、以前のかわいい娘に戻ったらしく、何が起こったのかも分からず、首を傾《かし》げているらしい。よって若だんなと事触れの権太は、地回りから川へ放り込まれることもなく、それはそれは感謝をされることになったのだ。

「ああ、あの板絵の主は消えたんだね……」

若だんなは金平糖の欠片《かけら》にまみれたまま、長崎屋へ使いを出すよう、己から頼むこととなった。貰《もら》った方は、礼金だと言って地回りがたんと寄越した金粒は、そっくり権太へ押しつけた。貰った方は、大金を手にしたというのに、困ったような顔つきでそれを持て余している。若だんなは縁側の端にある柱にもたれ掛かりつつ、権太の様子を見て少し笑った。

「権太、そのお金を路銀にして帰ったら？」

「はあぁ？　帰るって、どこへ？」

一文、二文貰って歩く事触れに、帰るところがあったかなと言う。若だんなは少しばかり身をひねると、連れへ顔を向け、はっきりと言った。

「鹿島神宮へ帰ったらって、言ったんだけど」

「えっ……」

権太が返答に詰まり、耳を赤くしている。その様子を見て若だんなは、己の推測が誤っていなかったことを確信した。

春ごとにやってきていたという鹿島神宮の神官。そして、神官達が告げたという吉凶。その人たちがいたから、〝鹿島の事触れ〟という言葉が生まれたのだ。

今は偽物《にせもの》ばかりとなり、鹿島の事触れと言えば、物貰いのように扱われている。だが、もしかしたら権太は本物なのではあるまいか。若だんなは、権太が行き先を占う様子や、口にする祝詞《のりと》、幣の使い方を見て、そう思うようになっていた。

「権太って、ひょっとしたら本名とは違うよね？　権太の権って、もしかしたら神社の神官位の一つ、権禰宜《ごんねぎ》の権かと思ったんだけど」

当たっているかと問うと、権太が今度は顔まで真っ赤にする。だがじきに、諦《あきら》めたかのように小さく頷《うなず》いた。

「われは小さな頃から、鹿島神宮へお仕えしてきたんだ」

己で言うのもなんだが、覚えの良い子であったらしい。長ずるに従い、その才を周りから褒められる事も多くなった。やがて権太は権禰宜となり、神社での祭事に加わり、神意を問うようになった。そのあらたかな霊験《れいげん》を、己自身で目にしたのだ。

すると耳にした噂《うわさ》の一つが、妙に引っかかってきた。

「お江戸では、鹿島の事触れというと、物貰いのように扱われるのだそうな」

昔は尊い神の託宣《たくせん》を告げる者、鹿島神宮から出《い》でる神の御使いであったものが、いつの間にそのような立場に立たされたのか。権太は腹を立てた。納得出来なかったのだ。

だが上の者達に訴えても、偽物が多く現れた故《ゆえ》に、仕方がないのだと言われた。権太が、きちんと本物の神意を伝えるべきだと言っても、誰も耳を貸してはくれなかった。

「今思えば、鹿島の事触れについては、先達の神官方も、とうにあれこれ手を打っていたんだろう。だがどう試しても、動かせない事もあったんだ。己でやってみて、分かった」

若だんなが首を、僅《わず》かに縦に振る。

しかし昔の権太は、失敗した事が無かった故に、怖いもの知らずでもあった。誰もやらぬのなら、己が何とかしてみせると、許しも得ずに神社を飛び出した。そして一人、江戸までやってきたのだ。

「でもなぁ、己こそは本物の事触れだと言い立てても、嘘《うそ》くささが際《きわ》だってしまって」

江戸の物貰い達も皆、似たような格好をしていて、口々にそれらしい予言をしていたのだ。いや金を貰う者達は、凶事などは口にしない分、皆に受け入れられていた。

権太は信用されぬまま日を過ごし、その内暮らすのにも困るようになった。しかし、このまま鹿島神宮へは帰れない。いや既に、帰る為《ため》の路銀すら無くなっていた。

「食うため、偽の事触れのように吉事だけを告げ、僅かな金を恵んで貰うようになった。そうなるのに、大して時はかからなんだねぇ」

肩を落とす権太の姿に、力がない。

「きっと神社の人たちが、心配してるよ。もう、帰る時だ」

若だんなは、同じように心配しているであろう兄や達の事を、思い浮かべつつ言った。二人が迎えに来たら、沢山叱《しか》られるだろうと思うと、ちょいと怖い。

江戸で何も出来なかった権太も、神官達に会うと思うと、身が縮む思いがするのだろう。だがそれでも神官達は、権太が無事鹿島神宮へ帰ったら、喜んでくれる筈《はず》であった。きっとそうなると思う。

「屏風は見つからなんだが……若だんなも、家へ帰るんだね」

権太の問いに、静かに頷いた。

答えを受け止めその先を考える時が、若だんなにも来ていた。あの日、若だんなは道を右に曲がった。そして……屏風のぞきは失われてしまったのだ。

(もう、帰ってはこないんだ)

ずっとその事実を受け入れず、あがいていた気がする。だが本当はもう、分かっていたとも思う。屏風のぞきは、この世にはいない。いないのだ。

（妖ではあるけど、広徳寺《こうとくじ》の寛朝《かんちょう》様に頼み込んだら、一度お経をあげてもらえないかなぁ。鳴家達にも、屏風のぞきが帰ってこないことを、ちゃんと言わなきゃ……）

また涙が出そうになって、歯を食いしばった。

明日も、明後日も、来月も、来年も、どうしてあの時、道を右へと行ったのだろうと、きっと繰り返し考える気がする。その後悔を背負って、生きてゆくのだと思う。

その時、家の表の方から、小走りに近づいてくる足音が聞こえた。いつも聞き慣れたその音を聞き、若だんなは身を起こし、縁側に正座する。直ぐにやはりというか、仁吉と佐助、二人揃《そろ》って大急ぎで現れた。

（怒られる）

首をすくめると、横で権太が心配そうな顔をした。思わず少しばかり下を向く。すると。

「ああ、無事だった」

短い一言と共に、若だんなは二人の腕の中にいたのだ。小言は降ってこなかった。ただ柔らかく、強い力で包まれた。

そうしたら、総身から力が抜けていった。

(何もかも終わったんだ)

そうと分かった。何故《なぜ》だか、今度こそそう感じていた。

するとどうしてだか、また涙がこぼれてきたのだ。もう泣くまいと思っていたのに、また溢れ出てくるではないか。謝ろうとして口を開けても、出てくるのは嗚咽《おえつ》だけだ。

そして涙はもう、止まらなかった。

こいやこい

1

通町《とおりちょう》で火事があってから、三年の日々が経《た》っていた。二年前、雨の中おねと知り合い、去年は花見もした。一太郎《いちたろう》の甥《おい》っ子松太郎《まつたろう》はもう、三つになった。ある日若だんなは、唐物《からもの》屋小乃屋《おのや》を訪ねていった。

「高名な職人を紹介して下さり、ありがとうございました」

よく晴れた日の昼下がりのこと。若だんなは兄《にい》や達を連れ、瀬戸物町《せともものちょう》近くの小乃屋へ顔を出し、跡取り息子の七之助《しちのすけ》へ頭を下げた。

大事な付喪神《つくもがみ》の一人、屏風《びょうぶ》のぞきの屏風が、火事の騒ぎで壊れてから、もう随分になる。だが大きくその身を損じた為《ため》か、何度直しに出しても、元のようにならないでいたのだ。

困り果てていたところ、七之助が上方《かみがた》帰りの表具師を紹介してくれた。近江《おうみ》生まれの七之助は、上方関係のことに詳しかった。

「本当に助かりました。七之助さん、恩に着ます」

「一太郎さん、友達やありませんか。それそのように、畳に手をつかんといて下さいな」

己《おのれ》も若だんなと呼ばれる身故《ゆえ》に、七之助は若だんなを一太郎さんと呼ぶ。若だんなにとって七之助は、比較的新しい友であった。

実は以前死にかけたとき、三途《さんず》の川の手前、賽《さい》の河原《かわら》というとんでもない所で、若だんなは小乃屋兄弟の弟、冬吉《ふゆきち》と出会ったのだ。そして無事この世に戻った冬吉を通じ、若だんなは兄である七之助とも親しくなっていた。

弟が、賽の河原で小鬼と会ったと言った為か、七之助は若だんなが妖《あやかし》と暮らしている事を、あっさり受け入れている。七之助自身に、小鬼の鳴家《やなり》が見えるわけではないが、妖の事を話しても構わない人の友が出来たのは、若だんなにとって大層嬉《うれ》しい事であった。

「今朝方さっそく屛風を直しに出しました」

「あの職人さんなら、きっと上手《うま》くやってくれますわ。なぁに、屛風の妖さんは根性ありそうな御仁《ごじん》でしたから、大丈夫でっしゃろ」

長崎屋《ながさきや》へ来た折り、屛風のぞきと会ったことのある七之助は、明るく口にした。七之助はいつも明朗で、時々度が過ぎては鳴家達に噛《か》みつかれてしまう程に調子が良い。まあ商人向きの性格ではあると、苦笑しつつ兄や達は言う。

ところが今日の七之助は、屛風の話が一旦《いったん》終わると、珍しくもふっとその快活な面《おもて》を曇らせた。そしてちょいと背を丸くし、若だんなの方へ身を近づけてきたのだ。

「ところで一太郎さん、実は私にも、相談したい事が出来ましてな。あんさんが丁度店に来てくれはって、助かりました」

その様子が何時《いつ》になく真剣であったので、若だんなは兄や達と、一寸《ちょっと》目を見合わせる。七之助は一つ息を吐いてから、重大な事を口にした。

「そのですな、つまりは私には……嫁さんが来そうなんですわ」

「おや、おめでとうございます。婚礼をあげられるんですね」

七之助は若だんなよりも幾つか年上であり、壮健で明るい。おまけに唐物屋の跡取り息子だから、小乃屋が店を開いて以来、何度も嫁取り話があったと聞いていた。いよいよその内の一つが、本決まりとなるらしい。

ところが当人は、眉《まゆ》を八の字にし肩を下げ、ちっとも嬉しげではない。若だんなは右に左に首を傾《かし》げ、眉根を寄せた。

「七之助さん、もしかしたら気の進まぬ婚礼話なんですか？」

店のため、持参金付きの嫁でも貰《もら》う必要があるのだろうか。もしやと思い尋ねると、七之助は首を振った。江戸で店を開いてから、小乃屋は手堅い商いを続けているという。

「おやま。それじゃ……小乃屋さんが、七之助さんの知らないお人と、勝手に縁をまとめてしまったのかな？」

「いんや。許嫁《いいなずけ》と決まったのは、幼なじみなんですわ。西海屋《さいかいや》の〝千里《ちさと》〟さんと言います」

まだ親が、近江の祖父の店で働いていた幼い頃、よく遊んだ相手なのだという。

「じゃあ、当時そのお人と気が合わなかったから、ため息をついてるんですか？」

話が進まないので、仁吉《にきち》が割って入り問う。しかしこれにも、七之助は否《いな》と返した。

「それも違うんですわ。実は初めて、かわいいなと思った子でして」

「ならば何で、栄吉《えいきち》さんの菓子でも食べたような、顔をしてるんです？」

「佐助《さすけ》っ、その言い様は酷《ひど》いよ」

若だんなは怒った。しかし若だんなに勧められ、既に栄吉作の菓子を食べていた七之助ときたら、大笑いして涙を浮かべたのだ。若だんなにぺしりと膝《ひざ》を打たれると、七之助は「すんません、すんません」と言いつつ更に笑い、それからやっと、気の晴れない理由を語り始めた。

「実は、縁談相手の〝千里〟さんから、文《ふみ》をもらいましてな。一度江戸へ来るつもりだと、そう言うんですわ」

縁談は内々に進んでいるものの、〝千里〟の両親は、娘が慣れない東《あずま》の地で暮らしてゆけるか、大いに危ぶんでいるらしい。それで婚礼が本決まりとなる前に、一度娘を東の地へ遊びに行かせてみようと、そう決めたのだ。

「東の地?」

聞き慣れない言い方を聞き、若だんなは目をぱちぱちさせる。横で兄や達が、苦笑を浮かべた。

「上方には未《いま》だ江戸のことを、未開の葦原《あしはら》のように言う御仁がいましたか。気位の高いことだ」

確かに徳川家が幕府を開いた頃は、江戸はまだ作られてゆく途中で、葦原が広がっていた地も多々あったらしい。暫《しばら》くは上方と比べ、諸事追いつかぬところが多かったのは事実であった。

だが時と共に、参勤交代でやってきた武士や、働き口を求める諸国の人を呑《の》み込み、江戸は大きく膨張し発展していった。お江戸では大火事など厄災も多いが、数多《あまた》の命をうばい一面焼け野原と化した後は、一段、大きくなって蘇《よみがえ》るのが常であった。昔は上方よりの下りものばかりが持てはやされたが、昨今は地物《じもの》の特産がより優れていることもある。つまり江戸は生き物のように、成熟してきているのだ。

「その規模と賑《にぎ》わいなど、もはや上方に劣るとは思えませんが」

佐助がそう言い、にやりとすると、七之助も困ったように笑った。

「京や大坂は、古くからの地ですからなぁ。上方のもんは新興の地である江戸を、簡単には認めたく無いんでっしゃろ」

ここで若だんなが、七之助の顔を覗《のぞ》き込んだ。

「それで？　つまりかわいい娘御が、七之助さんに会いに来られるんでしょう？　何を憂《うれ》えているんですか」

娘の親の言いようが、気にくわないのだろうか。だが七之助は違うと言い、ため息を漏らすと顔を畳の方へ向けた。

「実は〝千里〟さんは少々……いんや大分、気の強いお子だったんですわ」

七之助は幼いとき、〝千里〟に酷い目に遭わされた覚えがある。〝千里〟が気に入らない、何かを言った為であった。そして。

「はっきりものを言う性格は、今も同じようで。〝千里〟さんは先だっての文に、思いもよらぬ事を書いてきましたんです」

文によると、遠い東の地へ嫁ぐ事に、〝千里〟は不満などない。だが、突然もう何年も顔も見ていない幼なじみを押しつけられ、唯々《いい》諾々《だくだく》と縁談を承知する七之助を、夫として認めるかどうかはまた別の話だと、そう言うのだ。

「ついては江戸へ行ったおり、ちゃんと見分けて、〝千里〟さんを見つけて欲しいとか」

幼なじみ故、顔くらいは覚えているに違いない。〝千里〟はそう書いて寄越したのだ。

「〝千里〟さんを、見つけて欲しい？」

この言葉を聞き、若だんなが再び首を大きく傾げる。兄や達が一応と言って、七之助に確認をした。

「〝千里〟さんは、双子か三つ子なんですか？」

「いんや違います。確か兄と妹が一人ずつ、おったはずやけど」

だが〝千里〟は大店《おおだな》西海屋の娘であるから、江戸へ一人で旅する訳ではない。商用でこちらへ来る知り合いの商人と同道すると聞いているし、その時は勿論《もちろん》、女中の一人や二人は連れてくるだろうと思われた。

「もしかしたら〝千里〟さんは女中に、大層な絹物など、着せるつもりかと思います。どっちが〝千里〟さんか、私に分からんようにする為に」

そう言うと七之助は、力なく息を吐く。

〝千里〟と七之助が遊んでいたのは、七之助が手習いへ行くまでの事であった。その後、たまに〝千里〟を見かけたのも十の頃までで、七之助自身が伯父の店で奉公した後は、とんと会わなくなった。そして小乃屋は江戸で店を開き、更に年月は過ぎている。

「つまり、もし二人が〝千里〟と名乗ったら？」

若だんなと兄や達が、七之助を心配そうな表情で見つめる。七之助は赤くなり、そして白状をした。

「つまり正直に言うと、〝千里〟さんの顔、さっぱり分かりませんのや」

寸《すん》の間《ま》、座が静寂に包まれた。

2

「一太郎さんが頼りです。〝千里〟さんを見分ける良い案じが、ありませんやろか」

「良い案じって……若だんなはその娘御と、一度も会ったことがないんですよ」

「仁吉さん、人の心が分かる妖とか、知り合いにいませんか？」

「そんな妖、この世にいるんですか？」

「……ありゃ、駄目ですか」

七之助が目に見えてがっくりきたものだから、若だんなは友のために、必死で知恵を絞る。そしてふと、思いついた事があった。

「そうだ、会っていきなり許嫁を見分けねばいけないと思うから、困り果てるのでは」

ならば先に、旅して来る〝千里〟達一行をこっそり傍《かたわら》から見て、誰が許嫁か確かめておくというのはどうであろうか。娘達は皆、上等な着物を着ているかもしれないが、女中と箱入り娘では所作が違うだろう。それに旅の途中であれば、まだ女中のなりはそのままという事もあり得た。

「それはいい。良い案じで」

七之助は喜んだが、すぐにまた困った顔になった。

「いつ、どこでなら、傍から確認できますやろか」

あまり外出をしない若だんなにも、見当が付かない。二人が兄や達へ縋《すが》るような目を向けると、佐助がため息をついた。

「上方から東海道を旅して、江戸へ来るのですよね。ならば〝千里〟さん達一行は、必ず高輪大木戸《たかなわのおおきど》を通るはずです」

江戸へ入る日が分かれば、あの地で一行を待ち受けていればいい。そう言われ、七之助は喜んだ。

「さっそく使いをやって、皆がどの辺まで来てるか確かめますわ。一太郎さん、一緒に〝千里〟さんの顔を確かめて貰えますよね」

これで問題解決とばかりに、七之助がほっと息を吐く。しかしここで、若だんなより先に、兄や達がつれない返答をした。

「若だんなに遠出は無理です。高輪大木戸といえば、すぐ先は品川宿なんですよ」

「日本橋からは二里程も離れていますし」

「仁吉、佐助、高輪大木戸までは、江戸の内じゃないか」

一応若だんなは抵抗を試みる。しかし、きっぱりと首を振られてしまった。

「つまりそこは江戸の端という事です」

そんな所にまで遠出をしたら具合が悪くなり、若だんなはまた、黄泉《よみ》の国にまで行きかねないと言い、二人は折れてくれない。

「……仕方ありませんな。そんでは一太郎さんと行くのは、諦《あきら》めましょ」

じきに七之助が降参をし、息を吐いた。

「となれば代わりに、兄やさん達に、高輪大木戸へ行って貰わねばなりませんわ」

七之助が一人で向かい、〝千里〟が分からなかったら一大事である。相談相手が欲しいと、真剣に言い出したのだ。

「は？　私たちが何で？　小乃屋の奉公人と行けばよろしい」

「〝千里〟さんのあないな手紙のこと、店のもんには言われしませんわ」

下手に喋《しゃべ》って親戚《しんせき》連中に伝わったら、一騒動起きそうだと言うのだ。

しかし、若だんなの為の用ではないので、兄や達は長崎屋から、つまりは若だんなの側《そば》から離れてもいいと言ってくれない。すると七之助が、ちょいとずるそうな表情を浮かべた。

「今回、兄やさん達が力を貸して下さらんと、きっと一太郎さんが気にしますな」

何しろ七之助は、屏風《びょうぶ》のぞきの為《ため》に職人を紹介したばかりの、恩人なのだから。なのにここで七之助を見捨てたとなれば、優しい若だんなは胸を痛めるだろう。

その言葉を聞き、兄や達が眉間《みけん》にぐっと皺《しわ》を寄せ、七之助に無言で迫った。だがそれにもめげず、七之助は言いつのる。

「なあ、助けておくんなまし。今回の縁談、もう本家と西海屋と小乃屋の間で、話はついてますのや」

なのに〝千里〟と七之助がうまくいかず、縁談が流れたら、その後どんな揉《も》め事が湧《わ》いて出るか、七之助にも分からない。

江戸で一本立ちしたと言っても、小乃屋と近江の本家は商いで繋《つな》がっている。七之助が、親戚達の意向を無視出来る筈《はず》もなかった。

「兄やぁ」

ここで若だんなが困ったような声を出すと、二人が渋々折れた。しかし若だんなは今、調子が良い方だから、放って置くと店へ出て商いをしかねない。よって仁吉は残り、佐助一人が高輪大木戸へ行くことに決まった。

「ああ助かります。ほんまです」

七之助が佐助を拝んで、とにかく話はまとまったのだ。

暫くして、〝千里〟の一行が江戸近くまで来たと知らせがあり、佐助が夜明け前から出かけていった。すでに長崎屋縁《ゆかり》の妖《あやかし》達も皆〝千里〟の話を知っており、佐助の出立を聞いて離れへ集まってくる。

そして夕餉《ゆうげ》の席で、若だんなと妖達はうち揃《そろ》い、大木戸から戻った佐助を囲んだのだ。


「それで佐助、高輪大木戸で首尾良く〝千里〟さん達を見つけられたのかい？」

佐助が土産の饅頭《まんじゅう》を膳《ぜん》の横に置くと、掻《か》い巻《ま》きを巻きつけられた若だんなは、興味津々《しんしん》、事の成り行きを尋ねた。佐助はまず、若だんなに熱がないかを確かめた後、頷《うなず》いて話を始める。

「明石屋《あかしや》さんに連れられた娘達とは、木戸から遠からぬ所で、行き会う事が出来ました」

「そうなの！」

「〝千里〟さん、綺麗《きれい》？」「かわいかったですか？」「きゅい、美味《おい》しそう？」

離れの若だんなと妖達は、揃って身を乗り出した。佐助によると高輪大木戸前は、それは賑やかな通りであったという。そして大木戸へ着いた佐助達は、茶屋へ入る余裕もない程早く、明石屋が連れた〝千里〟達を見つけたのだ。

「上手《うま》くやったね。で、どうだった。七之助さんは〝千里〟さんの事、分かったかい？」

皆で考えた通り、女中に絹物など着せて、連れていたのだろうか。それとも何もしていなくて、〝千里〟が誰か、あっさり知れたのか。若だんな達が佐助の顔を覗き込むと、佐助はちょいと奇妙な表情を浮かべた。

「若だんな、実は七之助さんは、〝千里〟さんを見分ける事が出来ませんでした」

すると部屋の妖達が、一斉にあれこれ言い始める。

「おんや、やっぱり女中が、お嬢さんの格好を真似《まね》ていたか」

「野寺坊《のでらぼう》さん、綺麗な着物を着られるなんて、あたし羨《うらや》ましいですよう」

鈴彦姫《すずひこひめ》の横では鳴家《やなり》達が、佐助が間抜けをしたのだと言い立てる。

「きゅんいー、七之助さん、所作で分かるって言った。佐助さん、分からなかった。馬鹿《ばか》？」

途端、びんと指でおでこを弾《はじ》かれた鳴家が、「ぴえぇ」と泣き声を上げ転がる。慌《あわ》てて小鬼を掻い巻きの袖内《そでうち》に回収した若だんなへ、佐助が苦笑混じりに子細を告げた。

「おなご衆は皆綺麗で。あの内の誰が〝千里〟さんか分からなくても、七之助さんのせいではないと思いましたね」

「……おなご衆?」

若だんなが目を見張る。その言い方はまるで、まるで……。

「一行の中に若い娘は、五人おりました。皆さん旅の途中とはいえ、派手好みの上方らしい、綺麗な着物を着ておいでのでしたよ」

「ご、五人も!」

しかも一目で田舎ものとか、奉公人と分かるような娘は、いなかったらしい。つまり。

「おや、〝千里〟さんは本気で、七之助さんを試す気らしいですね」

若だんなが直接関わる事ではないからか、仁吉が気軽そうに言う。若だんなは「大丈夫かな」と言い、搔い巻きの中で頭を抱えた。この時、佐助が笑い出す。

「ふふふ、実は高輪大木戸で、七之助さんは間抜けた事をしましてね。〝千里〟さんを見つけられずに居る内に、〝千里〟さん達から反対に、見つけられてしまったんです」

一行を迎えに来たと言いつくろったものの、七之助は五人の娘を前にして、誰が本物の〝千里〟であるか言えなかった。それで、五人ともを小乃屋へ、連れて帰る事になったのだという。

「あれまあ……」

「〝千里〟さんというお嬢さん、手強《てごわ》いお方のようですね」

「一体これから、どうなるのかしらん」

妖達は七之助の思わぬ災難について、あれこれ楽しそうに話し始めている。

「七之助さんは暫《しばら》く、五人の許嫁《いいなずけ》と楽しむ事になるかのう」

野寺坊がそう言うと、隣で獺《かわうそ》が頷く。

「なにその内、何人かは〝千里〟さんでないと、分かる事もありましょう」

「当人は必死だろうねえ」

きゅいきゅい、けらけら、妖達は気楽なものだ。若だんながただ一人真剣な顔を、兄や達へ向けた。

「佐助、仁吉、私は小乃屋へ行かなきゃいけないと思う」

若だんなが行っても、〝千里〟を見分ける自信などない。しかし、七之助は心細かろうから、相談に乗りたいのだ。

明日にも行くと言うと、仁吉が隣の部屋へさっと布団《ふとん》を敷いた。若だんなは食べ終わると直《す》ぐに寝る事となり、以前屏風のぞきの本体の屏風がおいてあった場所をちらりと見てから、ぎゅっと目をつぶった。

3

「千里です。今は仮に、秋草《あきくさ》と呼ばれてます」

「千里ですわ。宝珠《ほうじゅ》と仮の名がつきました」

「千里です。雪輪《ゆきわ》に決まりました」

「千里です。鹿《か》の子《こ》だそうですよ」

「千里ですの。更紗《さらさ》と呼んで下さいな」

「は、はい」

朝から仁吉と共に小乃屋へ行くと、若だんなは直ぐに店奥へ通された。そして七之助からいきなり、綺麗な格好をした五人の娘を紹介されたのだ。

(全員が〝千里〟と名乗ってる。つまり一晩経《た》っても七之助さんには、誰が〝千里〟さんだか分からないんだね)

娘達へ声を掛けるにも困って、七之助は呼び名を付けたらしい。よく見ると各自の新たな名は、それぞれの帯の柄から取ったものらしかった。若だんなもとにかく名乗り、その後思わず、七之助へこう漏らした。

「それにしても皆さん揃って、かわいいですねえ」

途端「きゃあ」と五つの嬌声《きょうせい》が、部屋に響く。七之助は茶を勧めつつ、困っているのか楽しんでいるのか、苦笑している。

「一太郎さんには誰が〝千里〟さんなのか、分かりますか？」

するとそれを耳にした娘達が、一斉に首を横に振る。

「七之助さん、駄目ですよ」

「ご自分で当てなきゃ」

「〝千里〟は仮の名のまま」

「上方へ」

「帰ってしまいますよ」

見事な繋がりで五人が言うと、七之助は「やれやれ」と言い、その後で掘り抜き井戸のように深いため息をついた。それからこっそり若だんなの目を見てきたが、元々〝千里〟を知らないから、手妻《てづま》のように当人を当てる事など、出来よう筈もない。

とにかく茶を頂いていると、五人の娘達は暢気《のんき》なもので、これからお江戸のどこへ出かけようかと、相談を始めた。

「おや、用がおありでしたか？」

これは拙《まず》い時に来たかと若だんなが言うと、七之助は苦笑混じりに首を振る。何と娘達は、江戸を知るために来たのだからと、毎日せっせと遊ぶつもりらしいのだ。

「目当ては芝居に、隅田川の船遊び。お江戸に来た当日の昨日だって、近くの寺へ五人で揃って行ったんですよ」

「おや、それは元気なことで」

仁吉が遠慮もなく笑っている。何日も遊ぶと思っただけで、若だんななら熱が出そうであった。

「船遊び、楽しみにしてます。隅田川は、そりゃ大きいそうで」

秋草が言うと、鹿の子も笑みを浮かべた。

「芝居は、何度も見たいわ」

だが雪輪は七之助へ、何より先に、土産を買いに行きたいと言い出した。

「おなごが江戸に来ることなど、滅多にあるもんやないですから。上方へ戻ったら、家の人やお友達に、土産話と一緒に、あれこれ渡さなあきません。かなり数が要ります」

軽くて嵩張《かさば》らず、皆が喜ぶようなものを売ってる店へ、連れていってくれと言うと、娘達が一斉に頷いた。

「お土産を買うには、一日じゃ足りんでしょうしねえ」

だから、早めにあれこれ買って集めねばならないのだ。いかほどの品が良いかと問えば、七之助が幾ら出してもいいかによると、そう返答があった。

「えっ、私が金を払うんですか？」

「〃千里〃は許嫁。その買い物に、けちなことを言ってはいけません」

また明るい五人の声が部屋に響く。七之助は誰が〃千里〃かを早く当てないと、五人分の土産物を買う羽目になりそうであった。

「こりゃ参ったわ。一太郎さん、良い店知りませんか」

すると若だんながにこりと笑い、紅白粉《べにおしろい》問屋の一色屋《いっしきや》を勧めた。だが娘達は化粧品と聞き、ならば京のものが一番と言う。若だんなが頷いた。

「一色屋の品には、確かに京から来た紅などもあります。近江の方で買えば、運び代が掛かってない分、安いでしょうね。でも一色屋は白粉などを、そりゃあかわいい江戸の千代紙の袋に入れて、売ってるんですよ」

その言葉に、娘達は目を輝かせる。

「千代紙の袋ですか。新しいですわねえ」

それに紅や白粉ならば軽い。娘達は揃って行きたいと言いだし、七之助はそっと、紙入れの中身を確認している。

仁吉が娘達と若だんな達、計七人分の駕籠《かご》を呼んだものだから、一色屋の前には、駕籠が列をなして並ぶ事となった。店奥から出てきたお雛《ひな》と正三郎《しょうざぶろう》夫婦が、目を丸くし若だんな達を迎える。

「まあ、上方からのお客様ですか」

娘五人が並んで座ると、店先は一気に華やいだ。皆でさっそく、手代《てだい》達に出して貰《もら》った紅猪口《べにちょく》や、紅板《べにいた》、白粉を手に取ると、おしゃべりに花が咲く。そこから離れた若だんな達は、ひょいと奥の帳場の方へ上がり込み、小声でお雛達夫婦に、湧いて出た五人の許嫁の話をした。皆を帯の図柄の名で呼んでいる訳を告げたところ、お雛は目を丸くする。

「まあ、大勢の娘さんを連れて来られたと思ったら、そういうことでしたか」

では、沢山土産を買って貰えますねぇと言われ、七之助が顔を少し引きつらせる。お雛は若だんなの袖を引くと、そっと笑った。

「それで若だんな、お客さんを紹介して下さった代わりに、何かお聞きになりたい事でもあるんですか？　さっきから娘さん達には聞こえないように、小さな声で話しておいでですけど」

「お雛さんはいつも、聡明《そうめい》ですねえ」

たのもしい限りと言って、若だんなは頷く。

「そのね、一人でもいい、〝千里〟さんじゃ無い人が分かれば、助かるんだけど」

「おかみさんは、先程初めて五人と会ったんですよ。いきなり言い当てろというのは、難しいんじゃ……」

横で七之助が、眉尻《まゆじり》を下げている。

「おなごであれば、我ら男では気づかぬ所に、目を止めてくれるやもしれませんよ」

若だんなはその点に賭《か》けて、一行を一色屋へ連れてきたのだ。するとお雛はしばし、娘達を見つめていた。それから振り返ると、何ともあっさり、二人の娘は〝千里〟ではないと口にしたのだ。

「えっ、もう分かったと？」

若だんな達は、驚きの表情で顔を見合わせる。お雛は直ぐに名を告げた。

「秋草さんと更紗さんは、違いますね。多分、お嬢さん付きの女中さんかしら」

二人はきっと店で可愛《かわい》がられていて、お嬢さんの横で、所作や習い事を見ていたり、お下がりの着物などを貰っている娘なのだ。それで、奉公人の身でいきなり絹物を着ても、おかしいところがないのだろう。

「ですが、それでも奉公人。お店《たな》のお嬢さんに、追いつけない所もありましょう。どういう点だかお分かりになりますか」

問われて若だんな達は、店先へ目を向けた。すると仁吉には分かったらしく、ふっと笑みを浮かべる。二番手に気が付いたのは、若だんなであった。

「そうか、紅板で見分けたんだ。お雛さん、そうでしょう？」

「当たりです」

お雛が笑みを浮かべた向かいで、まだ分からぬ顔の七之助が、目を見開いている。若だんなは店先に並ぶ品を指さしてから、おなごの化粧品の中で、紅はかなり高い物だと告げた。紅一匁《もんめ》は、金一匁程もする。

「だから余程裕福な家の娘以外は、少量の紅を塗りつけた、紅皿や紅猪口を買って使います」

だが店で売られている品の中には、娘達が憧《あこが》れるような紅もある。紅板がそれで、薄い板状にした紅が、凝《こ》った入れ物に入っている。象牙《ぞうげ》や蒔絵《まきえ》、珊瑚《さんご》などが使われている事も多く、今、一色屋の店先で五人が見ている品も、豪華で美しかった。

「奉公人が、土産に買えるような品じゃありません。さすがに高すぎます」

七之助が代金を払うと言ったが、〃千里〃本人でなければ遠慮があるに違いない。見ていると五人の内二人は紅板を手にせず、代わりに小さな紅猪口を見比べていた。つまり。

「〃千里〃さんなら紅板を買えます。つまりは、宝珠さんか雪輪さんか鹿の子さんが、〃千里〃さんということになりますね」

若だんなの言葉に、お雛と仁吉、それに七之助が頷《うなず》く。だが友は直ぐに、特大のため息も付け足した。

「どうして、三人も残るんだ？」

〃千里〃以外は、西海屋の女中かもしれないと、七之助は思っていたのだ。だがこうなると、〃千里〃はお嬢さんと呼ばれるような、いつも紅板を使っているような者を二人、江戸へ連れてきた事になる。若だんながお雛と目を見合わせた。

確かに、旅にも江戸にも興味のある娘は、上方にも多いだろう。だが箱入り娘が、毎日歩いて東海道を江戸まで下るのは、大変な筈《はず》であった。道中では厠《かわや》にすら困りかねない。若い娘が五人も固まって歩いていれば、よからぬ者に目を付けられるかもしれなかった。

「それでも、江戸へ嫁に来る筈の〃千里〃さんならば、旅はするでしょう。でも外に二人も、江戸へ来られた。どうしてかしらねえ」

お雛が興味深そうに、娘達を見ている。だが今度の答えは、簡単には出てこないようであった。

4

買い物が一段落した所で、七之助は他の客が居なかったのを幸い、娘達の前へ座って紅の事を説明した。秋草と更紗は〝千里〟ではないと断じたのだ。

すると二人はあっさり降参し、秋草はおすえ、更紗はおくらという名で、西海屋の女中だと言い頭を下げる。そしてこれからは、残った三人の世話をすると、そう言い出したのだ。名を知られた時の事を考え、最初から取り決めをしていたらしい。

「残るは三人ですよ。七之助様、早う〝千里〟お嬢さんを見つけて下さいな」

「そうせんと、あかんな。この後ずっと三人分の支払いをするんじゃ、金が追いつかん」

そう言いつつも、一色屋で買った土産は、七之助が五人分払い始めた。それを見た元気な三人の娘は、更に他の店にも行きたいと、さっさと賑《にぎ》わう通りへ出てゆく。

「ま、まだ買うんかいな」

七之助のうめき声を背に、店から出た若だんなが苦笑を浮かべていると、娘の一人、宝珠がすっと隣に来て、若だんなの顔へ目を向ける。黒目がちの瞳《ひとみ》が、にこっと笑った。

「先程の紅板の話、思いついたのは一太郎さんやないですか?」

何だか、最初から紅板を見せる為《ため》に、一色屋へ連れて行かれた気がすると、宝珠は言い出したのだ。仁吉が二人の後ろで、口の端をあげている。若だんなは、紅板の件を見抜いたのはお雛だと、正直に語った。

「お雛さんは、一太郎さんの知り合い。つまり七之助さんじゃなくて、若だんなのお手柄やったんや」

宝珠はやっぱりと言いつつ、楽しげに歩いてゆく。そして不意に、道沿いにあった下駄屋へ目を向けると、江戸では下駄が多いから、自分も履きたいと、若だんなを見た。

「七之助さん、まだ店の中ですわ。だから一太郎さん、買《こ》うて」

「私が、ですか」

若だんなが呆然《ぼうぜん》としている内に、宝珠は赤い花柄の鼻緒が付いた下駄を選び、嬉《うれ》しそうに履いて店から出てきてしまった。慌《あわ》てて若だんなが金を払うと、宝珠は側でかたかたと下駄の音をさせ、歩き回る。そしてにこっと笑うと、空を仰いだ。

「おとっつぁんは東の地、なんて見下したように言います。けど、あたしは江戸の方が、上方より好きですわ」

「おや、そうなんですか」

この時、やっと七之助が一色屋から出てきたが、直《す》ぐに雪輪と鹿の子に捕まって、次の払いの為、袋物の店へと連れて行かれる。宝珠は上方であれば、五人の娘が同じ〝千里〟を名乗るなど、冗談でも出来なかっただろうと言った。

「おなごが騒ぎの元になるなんて、絶対に許してなど貰えません」

近江は古くから栄えた土地なのだ。地元の大商人達は、江戸が儲《もう》かると聞けば江戸店を出す事はあるが、小乃屋のように己で江戸に来ることなどまずない。ずっと生まれ育った地で、古くよりの知り合いに囲まれ、商いを続けているのだ。

周りには縁続きも多く、特におなごは諸事、厳しく言われて育つ。裕福な家の出であっても、嫁に行けば姑《しゅうとめ》の目が待っているからだ。

「だから江戸への旅に出たときは、夢を見ているようやった。ほんに何というか……ただ不思議で」

江戸は息のしやすいところやなぁと言って、宝珠は笑う。そして道で身軽にくるりと回ると、若だんなのところへ、また下駄の歯をかたかたと鳴らして近づいてきた。

「あたし、こっちに住もうかな」

「おや、では宝珠さんが〝千里〟さんなんですか？」

柔らかく問うと、答えられないと、今まで通りの返答があった。だがここで「でも」と言い、何か人の悪そうな笑みを浮かべる。

「一太郎さんがお嫁にしてくれたら、江戸へ住むことになるわよ」

「えっ」

頓狂《とんきょう》な声を上げたのは若だんなで、仁吉が一歩下がったところで、小さく「ほう」と呟《つぶや》いている。

「で、でも、宝珠さんは〝千里〟さんかもしれないし。つまり、だから、七之助さんの嫁御かも、だし」

「〝千里〟かどうかを、そんなに気にするの？　一太郎さんが今すぐ嫁に来いって言ったら、嫁ぐわ。そう言ったら、どうします？」

「今、この場で？　私が宝珠さんに？」

顔がかっと熱くなるのが分かった。何故《なぜ》、いつの間にこんな話になったのだろうか。

宝珠とは今朝方会ったばかりではないか。どうして急に、黒目がちな目で若だんなを見てくるのだろう。いや、だから七之助の許嫁《いいなずけ》で……は無いかもしれないから、話がややこしい。

(何だ、どうしてだ? どうして私は笑い飛ばし、直ぐに冗談に出来ないんだ?)

とにかく三つの内の、一つではあっても、七之助の許嫁ではないか。

(なのに……その当人が、友達の許嫁をぶん盗《ど》れと、けしかけてきたのか)

七之助の為に上方から、わざわざ旅をしてきた筈の娘であった。

(つまり宝珠さんは、違うんだろうか)

それともこんな話になったから、若だんなは別人だと思いたいだけなのだろうか。

いやどうして、そう思いたいなどと思うのか。いや、だから、その。

「ああ、また散財したぁ」

その時、店から出てきた七之助の情けのない声が、道に響く。若だんなが、さっと宝珠から目を逸《そ》らせた。

「あら、一太郎さんて存外、弱虫」

宝珠が、小さな声で笑うように言う。それからまるで、何事も無かったような顔をして、七之助達の方へ小走りで行ってしまった。

後に、呆然とした若だんなが、ぽつんと残った。袖《そで》の内から鳴家《やなり》が首を出し、
「嫁？」と言って若だんなを見つめていた。

夜となり、今日も長崎屋の離れには、いつもの通り妖《あやかし》達が数多《あまた》集まっていた。夕餉《ゆうげ》の膳《ぜん》を前にした若だんなが、その真ん中で掻《か》い巻《ま》きに埋もれている。離れが一度壊されて以来、恐がりとなった鳴家達が、それにしがみついているので、まるで鳴家柄の掻い巻きのようであった。

頭の芯《しん》が疲れているような気もして、若だんなは大人しく夕餉を食べていたのだが、鳴家の一言で、場は一気に盛り上がってざわめいた。
「きゅんい、〝千里〟さん、若だんなのお嫁さんになるって。言った。己で言った」
「えっ？」

部屋中の妖達の目が、さっと鳴家に集まる。きつい顔になったのは鈴彦姫で、おしゃべりな一匹をひょいとつまみ上げると、小鬼から話を聞き出しにかかった。
「七之助さんの許嫁の一人が、若だんなのお嫁になるって？　確かにそう言ったの？」

小鬼が頷くと、またどよめきが起こり、じきに声の渦となる。どの〝千里〟がそん

なことを言ったのか、皆がてんでに問うと、鳴家は大まじめに返答をした。

「きゅわ、綺麗《きれい》な人」

「おいおい鳴家、小乃屋の許嫁達は、面立ちは違うが、皆器量良しだと聞いたぞ」

それじゃ分からんと言い、野寺坊が若だんなに目を向けるが、若だんなは知らぬふりで、せっせと味噌汁《みそしる》を飲んでいる。横でしゃもじを持った佐助が笑い、昼間一緒にいた仁吉に子細を問うた。

すると。この世で一に考えるべきは、若だんなの事と心得ている兄やは、物騒な返答をしたのだ。

「若だんな、宝珠さんを嫁になさいますか。七之助さんが邪魔でしたら、隅田川へちょいと放り込んでおきますが」

「怖い事を考えちゃ駄目だよ。隅田川なんてとんでもない」

若だんなが、慌てて大根の味噌汁から顔を上げると、妖達が素直に頷く。

「分かりました。七之助さんを放り込むのは、海にしておきます」

「海も駄目！　誤解するんじゃないよ。宝珠さんはきっと、私から七之助さんに話が伝わるのを承知で、あんなことを言ったんだよ。許嫁をからかったのさ」

だから、本気で長崎屋へ嫁に来ると言った筈はないと、皆に真っ当な説明をする。

大体若だんなは今もって寝付いてばかりで、嫁どころではないではないか。すると妖達がとにかくまた「分かりました」と口にしたので、若だんなはほっとし、大根おろしを添えた玉子焼きへ箸《はし》を伸ばした。

だが玉子を挟んだ箸が、途中で止まる。いつもなら一かけ欲しそうにして玉子を見つめる鳴家達が、とんと興味を示して来なかったからだ。見ると野寺坊達と輪になって、こそこそ話を始めているではないか。

(おや、どうしたのかしら……)

妖達が、食い気よりも夢中になることがあるとは、珍しい。不意に、怖いような気がしてきたのを誤魔化《ごまか》したくて、若だんなは急いで玉子焼きにかぶりついた。

5

翌日若だんなは、足が重いからと小乃屋へは行かなかった。

(宝珠さんと会った時に、どんな顔をすればいいのか、分からないし)

そう思った途端、己を情けなく感じ、若だんなは渋い顔で鳴家達を引き寄せる。

(ああ何だ、この晴れない気持ちは)

「ぎゅわわ」「きゅげー」小鬼達は撫《な》でられて機嫌が良いが、暫《しばら》く聞いていると、なんだか声が足りない気がしてくる。よく見てみると、以前の火事の時、潰《つぶ》れた離れにいて一番恐がりになった鳴家が、姿を見せていない。

「あれ？　いつもまとわりついてるのに」

探していると、そういう時に限って、あれこれと用が向こうの方からやってきた。

まず一つはいつものように、仁吉が特製の薬湯を煎《せん》じて現れた。不調を訴えたのは己なので、若だんなは大人しく飲み、目に、こぼれ落ちる程の涙を浮かべることとなる。

次に離れへきたのは母のおたえだ。どうやら離れの鳴家達の話を、母屋《おもや》の鳴家達が聞いて噂《うわさ》にし、守狐《もりぎつね》たちがそれにあれこれ口出ししたのを、小耳に挟んだ様子だ。

「一太郎、お前、どこかのお嬢さんから、嫁にして下さいって言われたんだって？」

おたえは興味津々《しんしん》、綺麗な娘なのとか、上方から輿入《こしい》れとなると大変かしらんとか言い、思い切りお気楽に先走って、事を楽しんでいる。若だんなは深い深いため息をついた。

「おっかさん、あれは冗談だったと、狐たちから聞かなかったんですか？」

「あれまぁ、そうだったかしらねぇ。で、お前はそのお嬢さんのこと、好きなの？」

「……守狐、一体おっかさんに、何と言ったんだい?」

若だんなが、思い切り機嫌の悪い顔を向けたものだから、庭のお社《やしろ》から様子を窺《うかが》っていた守狐たちが、ふさふさとした尾を振りつつ、急いでおたえを母屋へと引き戻す。

すると、それと入れ替わるように、今度は思いも掛けぬ人が、長崎屋へ駆け込んできたのだ。

「ほ、宝珠さんっ」

思わずその名を……その名だけを口にしてしまった若だんなであったが、見れば雪輪と鹿の子も、一緒にいる。三人とも揃《そろ》って、酷《ひど》く慌てた顔で、挨拶《あいさつ》も無しに離れの縁側へ駆け寄ると、鹿の子がいきなり若だんなへ大事を告げた。

「あのっ、そのっ、七之助さんが誰かに連れて行かれてしまって」

「は?」

「七之助さんが店表にいたとき、いきなり入ってきた人たちがいたそうです。七之助さん、あっという間に引っ張って行かれたと」

小乃屋の奉公人達は驚いたが、一緒に消えたのが若い男達であったので、初めは七之助が知り合いと出かけたと思ったらしい。

だが、店には三人の〝千里〟と女中達がいるのだ。皆を放って行き先も告げず、七之助が姿を消す筈もなかった。娘達が騒ぎ出し、小乃屋は騒然となったらしい。

「今、小乃屋のご主人と弟の冬吉さんが、心当たりを探してます。でも見つからなくて」

すると宝珠が、相談をするなら若だんながいいと、言い出したらしい。江戸で他に知り合いもいない娘達は、とにかく話を聞いて貰《もら》いたくて、小僧に長崎屋へ案内をしてもらったのだ。

「若だんな、七之助さんを助けて下さいな」

だが鹿の子に頼まれても、若だんなには、どうしたらいいのか分からない。

「見かけによらず堅い七之助さんが、何で」

すると己の言葉に引っかかり、腕を組むと考え込んだ。

「小乃屋に来た若い男達は……誰かしらん」

その男達は、店の跡取り息子で、未《いま》だはんなりと上方言葉で喋《しゃべ》る七之助の友かと思われたのだ。荒っぽい地回りや臥煙《がえん》ではないだろう。だが、店先からいきなり七之助を連れ出したやりようは、恐ろしく遠慮がなかった。

「妙なことだよねえ……」

若だんなが考え込んでいると、仁吉が慌てて離れへやってきた。

「駄目ですよ、若だんな。今日は調子が悪いのですから、外出をしてはいけません」

「仁吉さん、そやかて」

泣きそうな声で鹿の子がつぶやく。ここでふと首を傾《かし》げると、若だんなはまた娘達の顔を見つめた。

「そうか、上方言葉!」

成る程と言い、ゆっくり二度、三度と頷《うなず》く。「となると……」若だんなは皆へ声をかけた。

「七之助さんのことが心配なのは、分かります。でも探しに行く前に、〝千里〟さん達に聞きたい事が出来たんですが」

だから一度、離れへ上がってくれぬかと乞《こ》うと、娘三人は一寸《ちょっと》、不安げに顔を見合わせる。離れの屋根は何時《いつ》にも増して大きく軋《きし》み、影が幾つも部屋の隅を走った。

仁吉が手早く茶を淹《い》れる横で、若だんなは娘達と向き合った。鳴家達が袖や離れの隅から顔を出し、娘達を見ている。

「七之助さんは、誰に連れて行かれたのか。どこへ行ったのか。それを知るためには、多分〝どうして〟連れて行かれたかを、知らねばならないと、思うんですよ」

だが〝千里〟達は、若だんなとゆっくり話す気持ちにはなれない様子で、心配げな表情を向けて来た。

「あの……出来たらお話より先に、七之助さんを探して下さいませんか」

誰かが己の家から突然連れて行かれるなど、こんな恐ろしいことは、上方ではなかった。雪輪がそう呟くのを聞き、若だんながなだめるように言う。

「大丈夫、七之助さんはきっと無事ですよ。命に関わるような事は無いと思います」

「なんで、そないに思われるんです？」

尋ねたのは宝珠で、若だんなは一寸、何故《なぜ》だか言葉につっかえた。

「それは、ですね。つまり、小乃屋が江戸ではまだ、新しい店だからです」

七之助は遊ぶのが嫌いな質《たち》ではない。だが今は、親が開いた店を江戸に根付かせようと、本当にせっせと働いているのだ。悪所通いにも女遊びにも、縁があるとは聞いていない。つまり今日居なくなった訳は、当人が無茶をしたからではないと思われるのだ。

「また小乃屋には、金絡《がら》みの揉《も》め事はありません。手堅い商いをしてますからね」

だが。最近小乃屋には一つだけ、変わった出来事があった。

「何だか分かりますよね？」

するると娘達が居心地悪そうに、僅《わず》かに身じろぎをする。

「先だって上方から、小乃屋へ許嫁がおいでになった。しかもその〝千里〟さんは、五人もおられたんです」

大いに驚いたであろうが、許嫁の望みなら仕方がないと、七之助は割り切った。笑って事に付き合ったのだ。

「そして七之助さんは、騒動に巻き込まれました。つまり〝千里〟さんの件は、単なる許嫁当てじゃ無かったのかもしれない」

ここで若だんなが、真《ま》っ直《す》ぐに娘達を見る。

「皆さんの方から、何か話す事がありますか」

宝珠と雪輪と鹿の子、それに若だんなは、しばし黙ったままで向き合った。娘達は困った様子ではあったが、それでも沈黙は続く。屋根がぎしりと鳴った。

「何時までも話が進まぬと、若だんなが疲れてしまいます」

ここで仁吉が眉間《みけん》に皺《しわ》を寄せたものだから、若だんなは慌《あわ》てた。下手をしたら兄や達は、若だんなを強引に寝かしつけるかもしれない。そうなったら皆は、離れから帰るしかなくなるのだ。しかし七之助を、見捨てたくはなかった。

「仕方ないですね。じゃあ私が〝千里〟さんは誰なのか言い当てます。当たったら、事情を話して下さいね」

鳴家達が袖内から、娘達を見つめる。若だんなはすいと、右の方にいる娘を指さした。

「私は……あなたが、〝千里〟さんだと思うのですが」

指を向けたのは、二人の娘であった。

「は？　〝千里〟さんが二人？」

兄や達が揃って声を上げる。若だんなが頷いた。

「〝千里〟さんは……鹿の子さんか雪輪さんの、どちらかだと思います。二人は七之助さんをとても気にしていたし、おまけに顔が似ています。片方は多分、妹御でしょう」

三人の内、二人は西海屋の姉妹と見て、若だんなはこの結論を出したのだ。

「ああそういえば、西海屋の〝千里〟さんには、妹御がおいでましたね」

佐助がぽんと膝《ひざ》を叩《たた》いた横で、珍しい事に、鳴家達が「嫁？」と言いつつ歩み寄って手を伸ばし、鹿の子に触ろうとした。だが人に見えない妖《あやかし》でも、触られればそれは分かる。仁吉が、ちょいと小鬼を払ってから言った。

「確かに年の近い妹御であれば、姉の旅に付き添っても不思議はないですね。親の許しも得やすいでしょう」

となると、さてどちらが〝千里〟なのかと、兄や達が目を光らせる。ところがここで若だんなが、二人を止めたのだ。

「あのね、もし鹿の子さん達が西海屋の姉妹となると、どちらが〝千里〟さんでもいいことになるんだ。この話で鍵《かぎ》となるのは、〝千里〟さんじゃなくなるから」

「は？　やっと〝千里〟が誰か分かる時が来ましたのに、どういうことです？」

仁吉が少し首を傾げた時、また部屋が軋む。何かが隅を横切る。若だんなが、今日は妙に動き回る鳴家《やなり》を捕まえ、そっと袖内に戻した。

「〝千里〟さんと七之助さんは、まだ結納も済んでいない。そんな時、〝千里〟さんはわざわざ江戸へ来て、謎《なぞ》かけを挑んだんです」

七之助は、突然現れた五人の娘の中から〝千里〟を見つけろと挑まれたのだ。一所懸命になり、誰が〝千里〟なのかを常に考えることとなった。おかげで、どうして〝千里〟が五人も来たのかという疑問には、考えが行かなくなる。五人の〝千里〟はすんなりと、小乃屋に逗留《とうりゅう》出来たのだ。

「〝千里〟さんは何故、己の他に四人も連れて、江戸へ来たのでしょう」

己と妹、それに西海屋の女中を加えれば四人。身内のみで、〝千里〟探しは十分出来る。なのに、更にもう一人他家の娘を、遠い江戸にまで連れて来たのだ。

「不思議ですよね。となれば、今回考えるべきは、残ったその一人の事だと思うのです」

若だんながその人に、静かに目を向けた。綺麗《きれい》でおきゃんなところがある娘。若だんなへいきなり、嫁になりましょうかと言った娘。

「宝珠さん、あなたが鍵だったんですね。五人もの〝千里〟さんが江戸に現れたのは、あなたを連れてくる為《ため》じゃなかったんですか」

若だんなの声が静かに響いた。

6

〝千里〟を言い当てるという話は、いつの間にか宝珠への問いに化けていた。寸の間の後、宝珠が困ったように笑う。

「あれま、もう少しの間〝千里〟としてゆっくり出来ると、思ってましたのに」

すると横から鹿の子が宝珠の手を握る。だが宝珠は首を振った。

「鹿の子さん、七之助さんが困っておいでですから」

若だんなは、七之助には揉める元が無いと言った。ならば今回七之助が消えたのは、自分たちの事が理由なのだ。

「だとしたら、早《はよ》うこちらのことを、話さねばなりません」

ここで宝珠はすっと畳に手を突くと、若だんなへ深く頭を下げる。そして今までの非礼を詫《わ》びた。

「あたしは〝千里〟やありません。本当の名を、かなめと言います」

近江にある奈倉屋《なくらや》という店の娘で、西海屋の姉妹とは、小さい頃からの友だという。

今回の事は、暫く前に上方で、たちの悪い風邪が流行《はや》った事をきっかけに起こった。

「いきなり高熱が出て、その内に息が出来んようになる風邪でした。数日も寝ていれば、何とか快復するお人も多かったけど、命を落とす人も沢山出て」

そんな中、随分前からかなめの許嫁《いいなずけ》と決まっていた相手や、〝千里〟の縁談相手も、命を落としてしまったのだ。

ここでふっと、気の強い笑みを浮かべたのは、鹿の子であった。まだ己が〝千里〟なのか、妹なのかを口にしない。

「〝千里〟は、以前にも縁談が、決まりかけたところで駄目になってましてね」

それで、いささか嫁ぐのが遅れていた。妹もいるし、早く〃千里〃を嫁がせたいと思っていた親は、焦《あせ》ったらしい。しかし縁組み相手が亡《な》くなった途端、直ぐに近くの別の店へ嫁にやると、薄情だと言われぬかと、気を遣いもしたのだ。

「近所には、何代も前からの知り合いも、多くおいでですよって」

そんなとき西海屋は、江戸へ分家した乃勢《のせ》屋《や》の弟の小乃屋に、まだ独り者の跡取り息子がいるという話を耳にしたのだ。ここで雪輪が、そっぽを向きつつ言う。

「乃勢屋さんは最初、七之助さんに、〃千里〃の妹おきいはどうかなと、思ってらしたようで」

姉娘の〃千里〃には、別の縁談があったからだ。しかし事情は変わった。上の娘から嫁がせたい西海屋は、姉妹に聞きもせず、ましてや七之助本人の意向を確かめる事もなく、小乃屋の本家乃勢屋との間で、二人の縁組みを進めてしまったのだ。

ここで鹿の子が、宝珠を見る。

「その頃、うちもあれこれあったけど、かなめちゃんも、大事になっててな」

かなめの相手は、染物屋大城屋《おおしろや》という店の跡取りであったのだが、一人息子を突然失い、大城屋が大いにうろたえたのだ。遅くに得た息子の他には、跡取りがいなかった。周りから養子をもらうことを勧められたが、大城屋は別の考えへ突っ走った。

「もう六十を超えているのに、何としても店は我が子に継がせたいと思ったんよ。そやから息子の許嫁を己《おのれ》の嫁にしたいと、大城屋さんはそう言い出して」

「は？」

若だんな達が目を見開く。若い娘であれば子を得やすいからと言ったそうだが、十六のかなめからすれば、大城屋は祖父よりも歳上《としうえ》であった。鹿の子がふんと息を吐く。

「冗談やおませんわ。嫁にいったその日から、老いた亭主がいつぽっくりいくか、心配せなあかんやない」

大城屋と奈倉屋は親戚《しんせき》になるつもりであったから、このまま縁を持とうと言われ、奈倉屋の主《あるじ》は困った。それを見て、縁談を押し切られては一大事と、かなめの兄と〝千里〟達は、必死に知恵を絞ったのだ。

「それで……かなめさんを逃す為に、江戸へ来ることにしたのですか」

「一度江戸を見ておけば、安心して嫁げると〝千里〟が言ったら、二親があっさり旅の許しをくれまして」

だが、かなめも連れて行く事は反対されると思ったから、最初は親に言わなかった。かなめの兄が、何とか妹の往来手形や女手形を用意し、出発のぎりぎりになって、かなめの事を親に話したのだ。

するとと不思議なことにこれも、親は大して反対もせず、許しをくれた。

「今思えば、大城屋さんの先々について、親類達や奈倉屋さん達の間で、話しあいがあったかもしれんと思います」

もしかしたら既に、暗黙の内に話はまとまっていたのかもしれない。

「かなめさんの兄さんが、血筋から一番相応《ふさわ》しいお人を選んで、さっさと大城屋に養子を迎えさせたらいいと、そう言ってました」

そして五人の娘達は、近江から離れたのだ。親が話を付けてくれた、安心できる人達に付き添って貰《もら》い、江戸へ下った。

「そうでなければ、若いおなごが江戸へなど、なかなか行けるものではありません。旅をして、ようく分かりました」

「あの、今回〝千里〟さんを当てるという謎かけは、五人で行く為の方便だったわけですよね。ですがその、七之助さんへかなめさんの事情を話せば、そんな事をせずに済んだのでは？」

文を出し頼んでおけば、七之助を試すような事をせずとも、かなめは江戸で小乃屋の客になれた筈《はず》だ。若だんながそう言うと、鹿の子と雪輪が目を合わせ、僅かに笑った。

「それは私達姉妹が……どうせ江戸へ行くのなら、試してみたかったんです。その、急に縁談相手が差し替えになりましたから」

親から七之助が、〃千里〃を嫁にするのを承知したとは聞いた。だが〃千里〃で良かったのかとか、そもそも姉妹のことを覚えていたのかとか、あれこれ気になったのだ。

「それに、かなめちゃんをかくまったら、大城屋さんは七之助さんのことを、縁談相手を隠した奴《やつ》と、そしるかもしれません」

上方で起こった厄介ごとに、七之助を巻き込むことになる。すんなりと大城屋の跡取り問題が片付けば良いが、揉める事もあり得た。その場合言い訳の余地が残るよう、〃千里〃探しのため、娘五人が小乃屋に逗留したという形を取ったのだ。

ここで鹿の子が「ふう」と、小さくため息をついた。

「でも七之助さん、やっぱり〃千里〃のこと、直ぐには分かりませなんだなぁ」

雪輪も眉尻《まゆじり》を下げる。ここで「嫁」と言い、鳴家が今度はかなめの袖《そで》を引っ張ったので、佐助が着物のほこりを払うふりをして、べしっと鳴家を払い飛ばした。

「成る程、となると七之助さんを連れ出したのは……」

事を知る前は、娘達が上方の親に内緒で江戸へ来たので、親が手を打ったという事もあり得ると、若だんなは考えていた。だがこうなると、怒っているのはただ一人だと思える。娘達が不安げな表情を浮かべた。

「大城屋さんですか」

だがあの還暦を過ぎた老人が、東海道を江戸までやってくるとは思えないと、三人は口を揃《そろ》える。

「確かに。大城屋さんは江戸店《だな》を持っておいでですか？」

「そんな話は聞いてませんが」

それで娘らは、こちらへ来てしまえば、かなめも安心できると思っていたのだ。だがここで、兄や達が首を振った。

「大城屋さんは染物屋さんです。呉服屋とか太物屋《ふともの》とか、染物屋と縁のある近江の店の江戸店は、多いですよ、きっと」

大城屋が繋《つな》がりのある店へ、かなめについて問い合わせをしたのかもしれない。

「そういえば、七之助さんを連れ出した男の人は、友かと思われたんですよね」

若だんながそう言うと、雪輪がかなめを見た。つまり男らは、上方なまりだったのかもしれない。上方の大店が出す江戸店の奉公人達は、全《すべ》て上方で雇うものであった。奉公人達は皆、上方言葉を喋《しゃべ》るから、江戸へ下っても言葉はそのままである者が多い。

江戸に落ち着くと決めた七之助すら、未《いま》だに言葉は上方風であった。

「七之助さんは、取引相手の江戸店の奉公人が、連れ出したのでしょう」

かなめの事を問うために。若だんながそう結論を出した。すると。

「ぎゅい、大城屋！　悪い奴」

「ほげっ、きゅふぃー、若ゃらんなの敵」

「悪いの、誰？　七之助？」

「大城屋？　みんにゃ、いっひょ……べべっ」

妙な話をした者をまとめて捻《ひね》り上げ、仁吉がごほごほと咳《せ》き込み誤魔《ごま》化《か》してから、頷《うなず》く。途端、怪しい声はさっと消えた。

ここで、でもと言って鹿の子が首を傾《かし》げる。

「勿論《もちろん》、かなめちゃんに逃げられたら、大城屋さんは怒りそうです」

元々かなめが気に入っていたから、嫁に欲しいと言い出したのだと思われる。しかし、皆が江戸に着いてから、まだ三日しか経《た》っていないのだ。

「東海道を旅するのに、半月あまりかかりました。かなめちゃんの姿が見えんようになったのに気付いて、大城屋さんが江戸に文を出したにしても、着くのが早すぎませんか？」

縁談に困っていた親たちが、大城屋に娘の出立を告げるはずはない。つまり、大城屋が気が付いたのは、かなめがいなくなってから、何日も経ってからの筈なのだ。だがその言葉を聞き、仁吉が笑った。

「若だんな、今鹿の子さんが言われた事には、誤りがあります。商人として、覚えているべきことですよ。分かりますか？」

「仁吉、こんな時に、商人修業をしなくてもいいじゃないか」

ため息と共に、袖内の鳴家を撫《な》でようとして、若だんなは一匹もいないことに気が付いた。（あれ？）驚いたが、娘達を前にして、兄や達へ妖《あやかし》のことを聞くわけにもいかない。若だんなは袖から手を出すと、真面目《まじめ》に返答をした。

「京から江戸へ、飛脚屋に便りを頼むと、並なら着くまでに、一月ほどかかるかな」

しかし、もっと早く届けることは可能であった。要は金子《きんす》の額次第なのだ。

「定六《じょうろく》とかいって、六日で届けてくれるのがありますね。四日と限ったものも有るけれど、大層な値段だと聞きました」

それは、一回送るのに何両も取られると言うと、かなめが不安げな声を出した。

「大城屋さん、そないに高いお金を出して、江戸へあたしのことを問うたのでしょうか」

〝千里〟と、江戸の小乃屋との縁談があることは、近在の皆が知っていた。かなめが〝千里〟と旅に出たと分かれば、逗留先は小乃屋かも知れないと、察しはつくだろう。だが文を貰った江戸店の奉公人が、いきなり他店の客であるかなめを呼び出すのは難しい。つまり七之助は代わりに呼ばれ、江戸店の者に、あれこれ聞かれているのかもしれない。

「あたしの為に、七之助さんが酷《ひど》いことを言われたら、どないしましょう」

かなめが泣きそうな表情をし、若だんなは何故《なぜ》だか狼狽《うろた》えた。佐助が首を振る。

「江戸店の総支配役が、他店の大城屋さんの為に、地の店と揉《も》めるとは思えませんが」

そう聞くと、娘達はほっとした様子になったが、仁吉は唇を片方引き上げる。

「総支配役はいいとして、その下、江戸店の大番頭あたりなら、店に揉め事があるのを喜ぶかもしれません。無茶をしなければいいんですが」

江戸店の奉公人達の、出世競争はすさまじい。滅多に総支配役などにはなれぬから、その立場を渇望する者も、多いのだ。

「奉公人同士の足の引っ張り合いなど、珍しくもないですからねえ」

途端、娘達が心配からあれこれ言い始めた隣で、若だんなも不安に駆られていた。

袖の中の妖達が、どこへ行ったか分からなかったのだ。部屋の隅や天井へ目をやったが、そこにもいない。つまりうち揃って、どこぞへ出かけたと思われた。

（これは……拙《まず》い！）

若だんなは青い顔で立ち上がった。

7

「ええと、大城屋さんと取引のある江戸店を、探します」

若だんなは、長崎屋の番頭に聞いてみると言いだした。

「直《す》ぐ……そう、急いで様子を見に行かなきゃ。皆さんはここで待ってて下さい」

立ち上がると、大急ぎで部屋から出たものだから、慌《あわ》てて兄や達が追ってくる。廊下に出た若だんなは、小声で大事を告げた。

「妖達が全くいないんだよ。変だろう？　さっきまで何時《いつ》になく、娘さん達にちょっかいをかけてたのに」

「それは、若だんなの嫁御と思うから、興味があったのでしょう。ああ、そうか」

仁吉が、ぽんと手を打った。

「先程鳴家《やなり》達が大城屋さんのことを、悪い奴と言ってましたね」

若だんなの嫁を奪う悪い奴。七之助さんも悪い奴。上方のものは悪い奴。話が複雑になってきたので、とにかくみんな悪い奴にしてしまえば、外れがないと妖達は思っている様子であった。

「鳴家ならば、大城屋さんの取引相手である江戸店にもいましょう。つまり妖達は我々よりも先に、そこへ行ったのかもしれませんね」

あっさりと言う仁吉へ、若だんなが半眼を向ける。

「仁吉、どうして妖達はそんな所へ行ったんだい？」

関係のない店ではないか。すると佐助が、ちょいと首を傾げてから言う。

「あいつらは、七之助さんを川へ捨てたがってました。今度こそ悪い奴を、退治にいったのでは？」

「川へ捨てちゃ駄目だって、私は言ったよ」

若だんなは半泣きで、佐助に言う。兄やは深く頷いた。

「そうでした。海へ捨ててもいけなかったですよね」

「覚えていてくれたのか」

ちょいとほっとした表情になると、仁吉がしっかり頷いた。そう、つまり。

「皆は悪い奴を、堀へ捨てに行ったんだと思います」

「うっ」若だんなは唸《うな》って、寸の間立ちすくんだ。妖達の考えは、透けて見えるように単純なものだが、斜めにずれていくのだ。

「まあ若だんなの為《ため》というより、楽しい事をしたかったのでしょう」

それが面白そうな事である場合は、やめようと言う妖はいない。

「と、止めておくれ、止めておくれ止めておくれっ。大体かなめさんは、私の嫁御じゃないじゃないか。江戸店の奉公人だって、大城屋の手先ではないんだよ！」

「でも若だんな……妖達はもう、行ってしまいましたし」

今からどこの江戸店が大城屋の取引相手か探しても、間に合わぬのではないか。そもそも、何より、一に大事な若だんなが無事であり、ちゃんと目の前にいるので、他の者達に対する兄や達の言葉は冷たい。

しかし、何もせずに妖達を放って置く事など、若だんなには恐ろしくて出来なかった。

「仁吉、佐助、お願いだからっ！」

暴走する妖達全部を一人で止める事など、若だんなには出来ない。第一、居場所すら分からない。当分の間、薬を大人しく飲むと言い涙目で頼んだら、二人は渋々動いてくれた。安心すると同時に、かなめにこんな格好の良くない所を見られずに済んで、助かったと思ってしまった。若だんなは二人の尻を押し出すようにして、店から表の道へと出たのだ。すると。

　思いもよらぬことに、三人は苦労もせず、妖達を見つける事となった。何故なら騒ぎは既に、早々に起こってしまっていたのだ。通りに出た途端、野次馬が駆けてゆくのが目に入った。皆が行く方へ道を辿《たど》ると、通り沿いの店で鳴家達が沢山、興奮気味に屋根を軋《きし》ませている。

「ああ、嫌な感じがするよ」

「若だんな、具合が悪くなったのですか？　店へ帰りませんか」

「やだ！」

　妖達が余り酷い騒ぎを起こしたら、その内広徳寺《こうとくじ》の高僧寛朝《かんちょう》に、退治されかねない。いやそれよりも今の心配は、七之助を連れて行った江戸店の奉公人の身だ。

「季節外れの水練をする羽目になってるかもしれない」

　妖達は面白がって、七之助までついでに、堀へ落としかねなかった。若だんな達が横の細い道から、店の裏手の堀川沿いへ出ると、背中の方から声が掛かった。

「あ、七之助さんがいます。無事なようですわ」

そう言われて少し先の堀川へ目を向けると、確かに川岸に、七之助がしゃがみ込んでいる。

「本当だ」

良かったと言いかけ、後ろを向いた若だんなは、寸の間身を強《こわ》ばらせた。声を掛けてきたのは、かなめ達三人の娘であったのだ。

「は、離れにいるものと」

「あたし達だけ、のんびりはしておれません。七之助さんを、探しに来たんです」

そこへ、風に乗って喚《わめ》く声が聞こえてきた。

「何かいる。この男に、何か憑《つ》いてるっ」

堀で溺《おぼ》れかけつつも、男が必死に喚いていた。周りから店の者達が助けようとしているが、妖達に水の内から引かれてでもいるのか、不運な江戸店の奉公人はとんと岸へ上がれずにいる。七之助が一番近くで手を伸ばしているのだが、男はその七之助自身を、一番怖がっている様子であった。

「こいつに、なんか憑いとんのやっ」

するとその時であった。若だんなと共にいたかなめが、さっと駆け出し、七之助の元へと向かった。

「このお方に、酷い事を言わないで下さい。今回の件は、あたしにそもそもの原因があるんですから」

「ごふっ、お、お前、憑きものつきかっ」

溺れかけた男は叫んだ途端、がぶりと水を飲んで沈み出す。七之助が慌てて身を伸ばし男の袖を摑《つか》んだが、引き寄せるどころか、反対に引っ張られてつんのめる。

「危ないっ」

若だんなが必死に手を伸ばしたが、その身を佐助が咄嗟《とっさ》に押しとどめたので、七之助を摑む事は出来なかった。ざんぶっという大きな水音と、堀沿いからの悲鳴が重なった。

「舟はまだか？」

岸辺で大声が上がった時、七之助が水面へ顔を出して来て、げほっと息をしたものだから、かなめ達はほっと一つ息を吐く。七之助は溺れかけの男の着物を摑んでおり、近づいてきた舟へ、その奉公人を先に上げた。

「きゅんい、あれあれあれ？」

「あいつ、生きてる……みたいだの」

「ぎょうぇー、失敗？」

聞き覚えのある声が聞こえたので、堀沿いの家の屋根を見れば、馴染《なじ》みの妖達が堀を見下ろしている。若だんなが怖い顔をそちらに向けると、人ならぬ者達はあっという間に、陰の中へ消えていった。

「おお若だんな、事は無事に終わったようです。良うございましたね」

「これで、無事？」

皆の命があったのはありがたいが、どうやったら〝無事〟と思えるのか、若だんなには分からない。すると仁吉が笑った。

「若だんなに、被害が有りませんでした」

余りにあっけらかんと言ったので、言葉も返せず、深い深いため息をつく。

しかし、ここでまた、思いも掛けぬ事が続けて起こったのだ。

まず舟に助け上げられたその時、岸に並んだ三人の娘を見た七之助が、〝千里〟が誰かを、思いついたのだ。

「子供の時、喧嘩《けんか》をした私を堀へ突き落としたんは、〝千里〟さん、あんさんやった！」

真っ直ぐ指さした先に居たのは、鹿の子だ。その一言に苦笑を浮かべている。

「どうして喧嘩をしたか、覚えてはる？」

岸から問われ、濡《ぬ》れ鼠《ねずみ》の七之助が笑う。

「ああ。〝千里〟さんに、お嫁にしてくれと言われて、咄嗟に返事が出来なんだから
や」

五つ年上であった七之助の方は、もう世間の事が、かなり分かる歳《とし》になっていた。

父親は次男であり、当時親の店で奉公人のように働いていた。七之助はその子供だ。

お店《たな》の娘である〝千里〟を嫁にするのは、無理やもしれないと、既にそう感じていた
のだ。

実際年頃になると、〝千里〟には他の男との縁談が来た。七之助は家族と共に近江
を離れ、江戸へと住まいを変えたのだ。

「なのに、また会えるとは思わんかった。縁談が起こったのは意外やった」

「私の名前を言い当てたわ。お嫁に貰《もら》ってくれるん？」

するとずぶ濡れの男は、笑い声を上げる。

「それは男の方から言う言葉でっせ、〝千里〟さん」

二人が笑って向き合う。姉の側《そば》に居た雪輪……妹のおきいが、小さく息を吐いた。

「きゅんい、すみません」

「ぎゅいぎゅい、もうしません。お菓子を下さい」

「若だんな、反省してますよう」

「そうだよな鈴彦姫。我らは人一人、溺れさせる事も出来なんだし」

半月ほどの後、長崎屋の離れでは、妖《あやかし》達を集め、反省の会が開かれた。今朝方、千里ら娘達が、一旦《いったん》近江へと帰って行ったので、今回の〝千里〟の件の幕引きをしたのだ。

妖達は人を堀へ放り込んだ事を叱《しか》られ、一応反省の言葉を口にする。だがその言葉は段々に反省から外れて、奇妙なものになっていった。あげく、若だんなよりも先に料理に手を出そうとし、佐助に拳固《げんこ》を喰らって、事は一応の終了となった。

後は娘達の事をあれこれ言い合い、皆で楽しむ会となる。屛風《びょうぶ》のぞきが久々に離れへ帰ってきていたが、屛風は直された筈《はず》なのに元気が無かったので、他の妖達が口に滋養のある玉子焼きを突っ込んでいた。

「そういえば若だんな、宝珠さん……いや、かなめさんの縁談、取りやめになったとか。今日お会いになった時、その話を耳にしましたか？」

仁吉が、若だんなの好きな大根の煮物を勧めながら話してくる。若だんなは見送りに行ったとき、かなめから子細を聞いていた。

「驚きました。大城屋さん、急にあたしとの縁談、無かったことにしてくれと、親に言ってきたそうです」

かなめによると、七之助を呼び出したのは、やはり大城屋と取引があった呉服屋の番頭であった。七之助をあれこれ問いただしたあの日、番頭は誰もいない筈なのに後ろへ引かれ、堀へ落ちたらしい。七之助に助けられ、大事には至らなかったのだが、そのことを怪しのものの仕業だと思い込んだのだ。

「あの日あたしは堀端で、騒ぎの元は自分だと、正直に言いました。すると、あの番頭さん、それを奇妙に聞き間違えましてねえ」

番頭はかなめが、何ぞにとっ憑かれたおなごだと決め込んだらしい。その恐ろしきもののせいで、己は溺れ死にそうになったと、そう信じたのだ。

番頭は急ぎ近江の大城屋へ、そのような恐ろしい娘を嫁に貰ってはいけないと、止める文を出したという。

「大城屋さんは、本当に素早く縁談を引っ込めたそうで。その機を捕まえ、親戚《しんせき》は養子縁組の話を、進めているそうです」

おかげで近江の兄から、もう帰宅しても大丈夫との文を貰えた。千里の方も小乃屋への嫁入りについて、話を進められたので、娘達は皆、上方へ帰る事になったのだ。

「若だんなはお見送りの時、小乃屋の前で、かなめさんと何やら話しておいででしたね。何を言ってたんですか？」

佐助が酢の物を大鉢から取り分けつつ、若だんなに何気なく問う。すると妖達が揃《そろ》って、ぐぐっと身を乗り出し、聞き耳を立ててきた。若だんなが笑う。

「何でもないよ」

実は。

若だんなはかなめに、実に真剣に、こう告げていたのだ。

「かなめさんは本当に……江戸へ嫁に来てもいいと思ってますか？」

千里がこちらで暮らすというし、友がいれば、東の地も寂しくはないだろう。だからその、だから、その、の。

するとかなめは、ふっと笑ったのだ。

「とにかく縁談が流れたばかり。上方へ戻ります」

(戻って……それから？)

若だんなはその先を聞きたかった。だが、出立の時が来て、かなめは千里達の方へ行ってしまう。今回は上方へ上る薬種《やくしゅ》問屋の三人に、千里達五人の連れになって貰うことになっていた。

「元気で。お気を付けて」

いざ送りだす時になると、そんなありふれた言葉しか、口から出て来ない。かなめが振り返って、深く頭を下げた。

(上方へ着いたら……それから?)

婚礼話が流れた直後だから、直ぐにまた、かなめに縁談という事はないだろう。若だんなだとて正直に言えばまだ、嫁取りには早い気がする。何しろ、寝込むことが多いのだから。

(でも)

そんなに遠くない日、また会えないかと思う。日々は明日へ続いているのだから。

(きっと、そんな遠い先じゃなく……)

あの時若だんなは別れゆく娘達へ、大きく手を振った。かなめも千里もおきいも、若だんなや七之助、そして離れてゆく江戸へ、手を振って返してきたのだ。

気が付くと、妖達が興味津々《しんしん》、何時《いつ》までも若だんなを見ている。少しばかり頬が熱い。若だんなは黙ってせっせと夕餉《ゆうげ》をたべた。

花の下にて合戦したる

1

長崎屋《ながさきや》の離れが火事に巻き込まれてより二年。豪雨の日、おねと知り合ってから一年がたった。若だんなの甥《おい》、松太郎《まつたろう》は二つになっていた。

まだ浅い春のことだ。若だんなは、生まれて初めて桜の名所で、花見をすることになった。

高僧の寛朝《かんちょう》は、大層立派で真面目《まじめ》な弟子を押しつけられそうになり、悩んでいた。

日限《ひぎり》の親分は、さっぱりお手柄を上げられなくなり、溜息《ためいき》をついていた。

狐《きつね》と狸《たぬき》は、どちらが化けるのが上手《うま》いか、勝負に出ていた。

桜の花びらである童女達《わらわめ》は、己《おのれ》の姉妹達が作る花の海を眺めた。

そして。

何やら不機嫌な低い声が、花見の幔幕《まんまく》の周りで、途切れ途切れに聞こえていたのだ。


江戸の大店《おおだな》、廻船問屋《かいせんどんや》兼薬種問屋《やくしゅ》の長崎屋には、以前の火事から生き残った、古い古い桜の木がある。老木故《ゆえ》か、桜は余所《よそ》の木に比べ蕾《つぼみ》が堅く、今年の開花はいささか遅くなりそうであった。

だがそんな中、二輪だけ、他よりも早くほころんだ蕾があった。太い幹に張り付くように花を付け、先んじて薄紅色に開いたのだ。

するとその日の昼下がり、童女の格好をした桜の化身が二人、長崎屋の離れへやってきた。

「われは、お庭の桜の、花びらでございます」

「われは、その妹でございます」

「おや、おいでなさいまし」

突然珍しい客人らが来ても、若だんなを始め、離れに居る面々は驚くでもなかった。

以前にも春先の客人を、迎えた事があったからだ。

何しろ若だんなの祖母おぎんは、齢《よわい》三千年と言われる大妖《たいよう》であったし、兄《にい》や達とて白沢《はくたく》、犬神《いぬがみ》と呼ばれる妖《あやかし》だった。鳴家《やなり》という小鬼や屏風《びょうぶ》のぞきら付喪神《つくもがみ》達もうち揃《そろ》い、心得顔で古木の使いを迎えたのだ。

仁吉《にきち》は丁度、とことん虚弱な若だんなの為《ため》、薬湯をもって離れへ来ており、昼餉《ひるげ》を片付けていた佐助《さすけ》と共に、童女たちへ笑いかける。

「我らは今年も、花見を楽しみにしておりますよ」

そう言うと、二人が首を傾《かし》げた。

「花見？」

「皆さん、われ達を見るのですか？」

桜の花は毎年新しく咲く故か、二人は花見を知らぬらしい。揃ってきょとんとしているので、若だんなが微笑《ほほえ》んだ。

「そうだよ。桜は葉が出る前に、花が満開になる。木が薄紅の霞《かすみ》に包まれたようになって、それは綺麗《きれい》だから、皆が愛《め》でるんですよ」

それは春の一日の、大きな楽しみであった。

「あれ、嬉《うれ》しい」

童女達は明るく笑ったが、寸《すん》の間《ま》の後、ちょっとばかり寂しげな表情となる。二輪だけ先に咲いた花は、他の堅い蕾が咲きそろう前に、散ってしまいそうであった。

「お花見ぃ、いいな……」

己も桜であるのに、満開の花をみられないとは妙な事だと、童女達が小さく息を吐く。若だんなはその様子を見て、何年も前に、目の前の庭を桜色に染めて消えた花びらを思い出し……きゅっと唇を嚙《か》んだ。そして顔を上げると、珍しくも力を込めて言ったのだ。

「仁吉、佐助、今年は名所と言われる場所へ、花見に行きたい！　山を染める程の桜を、童女たちに見せてあげたいんだよ」

他所の桜であれば、そろそろ見頃の場所もあるはずだ。だがやはりというか、兄や達は顔を見合わせる。

「長崎屋以外での、花見ですか。そいつは少々、遠出になりますな」

「桜の頃は、いささか冷えますからね」

何しろ若だんなは、ちょいと歩けば倒れ、地べたに座れば風邪を引き込み、舟で川風に吹かれれば、寝込むと決まっている身なのだ。

おまけに、若だんなが花見に出かけるとなれば、長崎屋の皆に随分と手間をかけてもらい、あれこれ用意をすることになる。普段のまかない以外に弁当を作り、駕籠《かご》を頼み舟を手配するのだ。そして、手代《てだい》である兄や達は店を終日留守にするから、他の奉公人達に頭を下げ、仕事の都合をつけねばならない。

「……そりゃ、大変なのは分かってるけど」

そして、それだけ苦労して支度をしても、花の開花がずれたり雨や風に見舞われれば、花見には行かせてはもらえない。花の時は短いから、こちらの都合で、日をずらし仕切り直す事も難しかった。だから若だんなはいつも、中庭の花を見て済ませていたのだ。

だが、若だんなが黙ってしまうと、兄や達がふっと笑った。

「いいですよ。今年は遠出をいたしましょう」

「そうだな、仁吉。長崎屋の若だんなともあろうお人が、家以外で花見をしたことが無いと言うのも、外聞が悪い話だ」

下手をしたら病弱ではなく、けちと思われかねないと、佐助が首を振る。江戸っ子は、吝嗇《りんしょく》を嫌うのだ。

「ほんと？　本当だね？」

余りにあっさり諾と言われたので、若だんなが繰り返して確認する。すると今度は佐助が、「ただし」と一言挟んできた。

「ですがいつもの通り、雨や強い風が吹いたら、予定は取りやめです。いいですね」

「……はい」

渋々頷《うなず》くと、横で童女達がお花見だと、それは嬉しげにしている。仁吉が腕を組み、さっそくあれこれ案じ始めた。

「花と言えば、上野のお山に隅田川堤、御殿山《ごてんやま》、飛鳥山《あすかやま》といったところが人気でしょうか」

初めて花を見に遠出するのだ。どうせ行くのならば、とびきりの名所がいいと仁吉が言う。周りに花見客が大勢いた方が、楽《がく》の音《ね》や賑《にぎ》やかな話し声が聞こえ、楽しいらしい。

「他の花見客が張り切って用意した衣装や、幔幕なども目に出来た方が、面白いでしょう」

「仁吉、幔幕って？」

「花見をする場所には、緋毛氈《ひもうせん》や花ござを敷きます。その周りに、場所を区切ったり風を防いだりするため、張り巡らせる幕のことですよ」

花見の流行としては、幕を張るのは、ちょいと古いやり方かもしれない。だが、幔幕があった方が暖かい。なにより、幕は目隠しにもなってくれるから、妖の連れがいる長崎屋にはありがたいのだ。その中なら人ならぬ者達も落ち着いて、三味線を弾き踊り、弁当を広げたり出来るだろう。

「桜の使いが行くのですから、どうせ他の妖達も、皆ついて来たがるに決まってますしね」

若だんなの膝《ひざ》で小鬼の鳴家達が、うんうんと一所懸命に頷いている。仁吉によると、幕には大きな紋を付けたり、華やかな着物を掛けたりすることもあるという。

「そいつもまた、花見の一つの遊び方というか、見どころなんですよ」

すると話を聞いていた鳴家達は、さっそく母屋《おもや》へ走る。おかみの若い頃の着物を引っ張り出し、幔幕に掛けようというのだ。

「へえ、花見ってそういう風にやるんだね」

「若だんな、勿論《もちろん》、花だけ見て帰る人たちも、多くいますよ」

仁吉が笑った。だが花見は年々派手になっていて、狂言芝居をしたり、面白い表情を描いた目かつらを顔に掛け、人目を引こうとする者もいる。踊りや三味線の師匠達などは、弟子に揃いの衣装を着せ、その麗《うるわ》しさを花と競ったりするのだ。桜と共にそれをも楽しむのが、昨今の花見というものらしい。

「せっかく行くのです。今回は花見の弁当にも、力を入れましょう」

こちらは、佐助の担当となるようであった。

「まずは、とっときの弁当箱を、倉から取り出さなくては。若だんな、酒を入れる徳利が付いた、特別な弁当箱ですよ」

「ああ、分かった。花の散った柄のあれでしょ」

若だんなが頷くと、どんな品か見たかったらしく、付喪神達が土蔵へ走る。直《じき》に離れに現れたのは、凝《こ》った蒔絵《まきえ》が施された立派な弁当箱であった。

四角い木枠の天辺《てっぺん》に、提《さ》げて持つ為の取っ手が付いており、その中に、四段の重箱と徳利が嵌《は》め込まれていた。枠の上の部分には、取り皿や酒杯が入るようになっていて、便利なことこの上ない。お重にはたっぷりと料理が詰められそうであったが、目にした佐助が、全く足りないと首を振ったので、童女達が目を丸くしている。

「倉にあるすべての弁当箱を、出すとしますかね」

それだけではない。妖達は底なしに飲むだろうから、酒も弁当箱に付いた徳利に入れただけでは、とても間に合いそうもなかった。

「しかし、飲む物を沢山運ぶのは重いな」

さて、どうしたものかと、佐助が仁吉に目を向けた時、庭の祠《ほこら》から声がかかった。

「あの、あの、花見の場所、飛鳥山にしませんか。そうすればその、我らの仲間が酒くらい、用意しましょうからに」

見れば、若だんなの母おたえを守っている守狐《もりぎつね》が、己達も花見へ参加したいようで、期待を込めて尾を振っている。

「ああ、そういえば飛鳥山は、狐達が神の御使いとなっている、王子稲荷《いなり》の近くだったな」

王子の稲荷は、千年を超す稲荷の大社にて、武蔵《むさし》の国の狐が集う所でもあった。狐達は、己達ならば誰よりも巧みに人に化け、花見を一緒に盛り上げることが出来ると主張した。

「ふん、花見に混じりたいだけじゃないか。誰より上手く化けるだって？」

「きゅい？」不意に妙な小声がした方に、小鬼が顔を向ける。だが、誰もいなかった。

「ぎゅんわ？」

その声が聞こえなかったのか、狐達が機嫌良く、飛鳥山の利点を言いつのる。

「それに王子には、高名な料理屋扇屋《おうぎや》もあります。あそこは若だんなの好きな玉子焼きが、美味《おい》しいと評判ですよ。釜焼《かまや》きにしたのを折り詰めにしてくれます」

「玉子焼きっ！」

途端、鳴家達は狐らの周りに集まり、きゅわきゅわと騒ぎだす。

「料理屋が近くにあれば、弁当以外にも温かい料理を、飛鳥山へ運んで貰《もら》えるな」

佐助の言葉を聞き、仁吉が頷いた。

「では場所は飛鳥山と決めましょう。その店に、七輪と鍋《なべ》を幾つか都合して貰えますかね。そうすれば、幔幕の内で酒を燗《かん》にできる」

狐達が、嬉しげに口にした。

「桜はあと三日もすれば満開だと、王子の仲間が言っておりました」

「では花見は、三日後に定める」

佐助がそう口にした途端、当然己も行くと決め込んだ妖達が、数多《あまた》湧《わ》いて出た。

「何時《いつ》、離れにいればいいのかの」

「野寺坊《のでらぼう》と獺《かわうそ》は行くぞ。あれ屏風のぞき、調子が悪いのに、御身《おんみ》もゆくのか？」

「当然行く」

猫又《ねこまた》のおしろと小丸《こまる》も姿を見せる。鳴家達の横から蛇骨婆《じゃこつばば》、鈴彦姫《すずひこひめ》やお獅子《しし》も顔を揃えると、離れは一杯になった。

狐達は王子へと知らせに走り、童女達は遠出を告げに、桜の木へと一旦《いったん》戻る。「ふんっ」その時何か聞いた気がして、若だんなは一つ首を傾げたが、直《す》ぐに文机《ふづくえ》の前に座った。

「お花見は楽しそうだ。栄吉《えいきち》を誘ったら喜ぶだろうなぁ。でも……無理だよねえ」

幼馴染《おさななじ》みの栄吉は、菓子職人として修業中だし、そもそも桜の童女を花見に連れて行くのが目的故、妖と会ったら驚く者へ、声を掛ける訳にもいかない。若だんなは「残念」と言い一つ息を吐いてから、既に妖達がいることを承知している、唐物《からもの》屋小《お》乃屋《のや》の兄弟へ声を掛ける事に決め、誘いの文を書いた。

それから佐助と相談し、栄吉が修業している菓子屋安野屋《やすのや》へ、花見で食べる菓子の注文を出す。あれこれと頼む他に、友、栄吉作の菓子も少々お願いしたいと、そう書き添えた。せめて、栄吉の修業の成果を知りたかった。

すると、いつの間にか横から文を読んでいた野寺坊達が、目に光をたたえ、嬉しげに頷いたのだ。

「分かりました、若だんな。美味しい菓子の中に、栄吉さんの菓子を幾つか置いておくんですね。誰がはずれに当たるか、花見の趣向にするんでしょう?」

「何を言うんだい。栄吉はきっと、随分腕を上げてるに違いないよ!」

若だんなが睨《にら》むと、妖はぺろりと舌を出し、忙しい忙しいと離れてゆく。その時後ろからまた声がした。

「ふん、そうかしら、ふーん」

振り向いたが、誰も話しかけてきた様子はない。若だんなは、また首を傾げてから、己が出来る花見の用意を始めた。懐《ふところ》から印籠《いんろう》を取り出し、中の薬を確かめたのだ。

「大丈夫だってば」

2

若だんなが毎日祠へお参りした為か、花見の日、空は見事に晴れた。

飛鳥山では狐達が未明から、木と木の間に幔幕《まんまく》を張っておいたので、見事な桜を目に出来る、広い場所を確保出来た。その幕へ鮮やかな着物を掛け、地面には緋毛氈を敷いて、兄や達は素早く花の下を、居心地の良い一角に作り上げる。

そして若だんなは幕の中で、弁当箱などを広げながら、小さく苦笑を浮かべていた。

「どうしてこんなに大勢で、花見をする事になったのかしらん」

当初は童女達の他に、いつもの長崎屋の面々と、小乃屋の兄弟のみで行くつもりであった。ところが気が付くと、花見の連れはどんどん増えていたのだ。

まず飛鳥山へ行く途中、一行は上野の広徳寺《こうとくじ》へ寄った。そしてそこで、僧の寛朝達を拾う事になってしまったのだ。

妖《あやかし》連れ故《ゆえ》、駕籠を頼む訳にもいかないから、日帰りは疲れる。若だんなが頑として、おぶわれる事を嫌ったので、帰りに寺で一泊出来るよう、兄や達が頼みに行くと言い出したのだ。

すると、寛朝は一行を大仰なほどに大歓迎した。

「飛鳥山へ花見に行くとな。若だんな、遠出は大変だろう。上野でも花は咲いているぞ」

若だんなが病弱なのを承知しているから、寛朝は一応心配してくる。しかし、化ける事では一番と自任する狐《きつね》達が、人の姿となり、花見を仕切ってくれるから心配はないと言うと、寛朝は大きく頷いた。

「おお、おお、妖の宴か。それならば拙僧も、妖らが酔い、無謀をしたときの止め役として、同道せねばならんな。直ぐに出かけるぞ」

帰りの宿泊の相談などそっちのけに、寛朝は寺から走り出んばかりの勢いで、一行に加わってしまった。驚いた佐助が、こっそり弟子に訳を問うと、秋英《しゅうえい》は溜息《ためいき》をつき、向かいの堂宇《どうう》にいる見たことのない僧を指さした。

「縁《ゆかり》の寺から修行に来られた、道真《どうしん》殿です。是非に高名な寛朝様の弟子になりたいと、そう願われているのですが」

だが道真は、何しろやたらと堅い人柄であった。そして顔見知りから面倒を見て欲しいと頼まれた故、むげには断れない相手なのだそうだ。

「名僧寛朝様の側《そば》にいることで己を律し、菩薩《ぼさつ》が修行し到達するという、微妙《みみょう》なる悟りを開く道へ至りたいと、そう願っておいでなのです」

「み、微妙? びみょうの事? ……へえ、違うんですか」

妖達は揃《そろ》って首を傾《かし》げる。要するに、大変俗世に近い僧である寛朝は頭を抱え、道真を弟子には出来ぬと、逃げ回っているらしい。

「金と春画好きの寛朝様を、真っ当な高僧だと思い込んだ誤解が、生んだ笑い話ですな」

仁吉はあっさり酷《ひど》い事を言った後、寛朝の同道と引き替えに、帰りの宿を確保した。

そこまでは良かったのだが、一行が寺から王子へと足を向けてしばし後、寛朝が悲鳴を上げたのだ。

「道真、どうしてお前まで、花見の仲間に加わっているのだ」

「申し訳ありません。しかしまだ寛朝様から、弟子にすると言って頂けませんので」

生真面目《きまじめ》な僧は許しが出るまで、寛朝の側を離れぬ気らしい。佐助が笑い出した。

「いいではありませんか、寛朝様。今更帰れとも言えない。同道いたしましょう」

すると、恨めしげな顔をした寛朝の後ろで、広徳寺へ戻るまでに、道真が弟子に成れるかどうか、賭《か》けようという声がする。道々酒を飲んでいるのか、早くも酔いを含んだその声の主は、小乃屋の七之助《しちのすけ》であった。そして賭けの相手は……何と馴染みの岡っ引き、日限の親分だったのだ。

「親分さん、また何故《なぜ》ここにいるんですか？」

驚いた若だんなが声を掛けると、親分は、たれ目の目かつらでも付けたような、情けのない顔になって、酒臭い息を吐く。

「最近なぁ、どうもお勤めの調子が、悪くてなぁ」

勘が働かない上に、罪人を眼前で逃がしたり、他の若い岡っ引きからなめた口をかれたりと、面白く無いことが続いているのだ。今日も、通町《とおりちょう》でかまいたちの真似《まね》をし、人を斬《き》りつけた男が上野にいると聞き、出かけてきたのだが、さっぱり何も摑《つか》めなかった。

親分はがっかりし、せっかく上野へ来たのだからと、験直《げんなお》しに広徳寺へお参りに向かったのだ。

「そうしたら道の先に、若だんな達がいるじゃないか」

急いで道を駆け追いついたら、一行には何やら妙な連れがいる。親分は首を傾げたが……飛鳥山へ花見に行くと言われ、酒を勧められて気分が良くなった。細かい事など、どうでもいい気になったのだ。

その時若だんなの袖《そで》を、小乃屋の兄弟が引いた。どうやら二人は不審顔の親分に一杯飲ませ、妖達を守ってくれたようであった。

「これは、おかたじけ。助かりました」

若だんなは小声で友に礼を言い、親分へ目をやった。

「何だか、疲れるような事が重なっているみたいだ。酔ってるし、大丈夫でしょう。今日はこのまま一緒に、楽しむ事にします」

「ふんっ、贔屓《ひいき》して」

「はい？」

七之助と冬吉《ふゆきち》、それに若だんなが揃って周りを見たが、背後には上野の寺の伽藍《がらん》、王子へと続く道の先には、田や畑など浅い春の風景が見えるばかりで、妙な事は何もない。

「でも今……変な声がしたような」

若だんなが眉《まゆ》を顰《ひそ》める。するとこの時、顔を赤くした親分が「確かに聞こえたよなぁ」と頷《うなず》き、足下の道へ目を落とした。そしてにっと笑うと、突然大声を上げたのだ。

「俺を馬鹿《ばか》にすんじゃねえぞ。ひくっ、岡っ引きなんだからな」

何事かと、兄や達が若だんなの側にやってきた。「分かってるんだぞぉ」と、親分が酔っぱらった声で道に向け凄《すご》む。そして、だんっ、と大きく足を踏み出したのだ。

「正体を現しなっ」

見ると親分は、不思議に丸っこい影を踏みつけていた。

「へへーっ、花見の一行に、妙な影が混じってるぞぅ。まぁるい尻尾《しっぽ》だよ」

途端、素早く動いた者がいたが、その足を、咄嗟《とっさ》に佐助が払う。仁吉が直ぐに首根っこを押さえ込んだので、皆が一斉に、道に這《は》いつくばったその姿へ目を向けた。驚きの声を上げたのは、寛朝であった。

「おや、こりゃ狸《たぬき》……じゃなかった、和算指南の阿波六右衛門《あわろくえもん》さんじゃないか」

でっぷりと太った浪人姿の男だが、その正体は、かなりの術を使う古狸であった。以前広徳寺で、僧の秋英と和算の対決をしてから、時々寺へ顔を出し、和算を共に楽しむようになったらしい。今日も広徳寺にいたという六右衛門は、頭を掻《か》きつつ身を起こした。

「今日寺でぇ、花見に行くってぇいう、楽しげな話が聞こえましてな」

この季節、花はあちこちで盛りだし、広徳寺のある上野も花の名所だ。六右衛門は最初、わざわざ遠出に、付いて行く気など無かった。だが直ぐに、同道して、はっきりさせねばならぬ事が出来たというのだ。

「王子の狐どもがぁ、若だんなへ、己達こそ化けるんじゃ一番だと言ったとか」

六右衛門は、でんと道端に座り込んで力説する。

「こう言っちゃなんだがねぇ。化けるとなりゃ、人に近しい我ら狸が一番。敵《かな》う者なんぞ、いようはずもねぇですから」

要するに六右衛門は、狐の言葉が、思いきり気に障《さわ》ったのだ。よって王子の狐達に、そのことを証明すべく、花見の一行に紛れ込んだのだ。

「なぁに、剣呑《けんのん》な事にはなりませんです。せっかくの花見なんで、向こうに着いたら若だんなに、そりゃ見事な術を見せてあげるだけですよ」

そうしたら狐どもも、直ぐに狸の主張に納得すると、六右衛門は自信たっぷりに言う。気の強い守狐らをよく知っている若だんなは、この話に頭を抱えた。

「六右衛門さん、花見に招かなくても王子へ付いてくるよね、きっと」

若だんなが小声で佐助に問うと、顔をしかめて頷いた。

「化け狸ですからねえ。同道しなくても、それくらい簡単でしょう」

ならば連れて行って、ちゃんと狐達へ挨拶《あいさつ》してもらった方が、まだましなような気がする。若だんなが飛鳥山の酒肴《しゅこう》の席へ誘うと、六右衛門は喜んだ。すると。

「化け合戦、狐が勝つか狸が勝つか。さあさあ、賭けないか」

七之助がさっそく呼びかけ、この賭けに沢山の妖達が乗る。日限の親分まで加わり、若だんなは歩きつつ溜息をついたが、とにかく倒れる事無く、何とか飛鳥山へ行き着いた。その時までに、花見の連れは四人増えていたのだが、山には花見を楽しみにしていたらしい、数多の狐達が待っており、更に数はふくれあがった。

3

「若だんな、酒樽《さかだる》は幔幕の前へ置けば良いのか？」

「はい、そこに……おやっ」

聞き慣れぬ声故、酒屋の使いでも来たかと顔を上げた所、眼前にいたのは懐《なつ》かしくも巨大な姿、大天狗《おおてんぐ》の信濃山六鬼坊《しなのさんろっきぼう》であった。見ると、天狗の友である管狐《くだぎつね》の黄唐《きがら》が、懐から顔を覗《のぞ》かせている。

「狐達が、若だんなが王子へ花見に来ると、教えてくれたのでな。酒を持参してきた」

「これはありがとうございます」

以前若だんなは、この六鬼坊にさらわれているし、天狗は葉団扇《はうちわ》で、花散らしの大風を起こす事が出来るから物騒であった。しかし、共に花を愛《め》でに来たと言われると、何だか嬉《うれ》しい気持ちになってくるではないか。

若だんなは側で、渋い顔を浮かべている兄や達をなだめ、六鬼坊の前へお重に入った料理を並べた。天狗と管狐は、花の下にいた童女《わらわめ》達と楽しく話を始め、直《す》ぐに打ち解けた様子だ。沢山の七輪と鍋、玉子焼きも扇屋から届き、人に化けた狐達が酒を温め始めた。

そこへ安野屋から菓子も運ばれてくる。持ってきたのは何と、栄吉であった。

「……これは驚いた」

若だんなは一瞬、幕の内だからと、気を抜いて遊んでいる妖達へ目をやった。栄吉はまだその姿に気づかぬようで、「へへへ」と言い、鼻の頭を掻いている。

「一太郎《いちたろう》がわざわざ、俺が作った菓子も、幾つか欲しいと書いてくれただろう？　そうしたら旦那《だんな》様が、菓子を飛鳥山へ届けるのは俺がいいと、そう決めて下さったんだ」

栄吉は、少し遅くなってもいいと言われたらしい。一緒に花見をしてこいという、安野屋の主《あるじ》の心遣いであった。

「その、俺もお邪魔していいかな」

栄吉はにこにこして、一所懸命作ったという菓子を差し出してくる。若だんなは、またちらりと妖達を見て、寸の間声を詰まらせる。そして……。

「本当はとても会いたかったんだ。凄く嬉しいよ」

そう言うと、久々に会った親友の肩を、ぎゅっと抱きしめたのだ。

「まあ任せときなって、一太郎さん。花見であれこれ妙な事があっても、後で言い訳が出来る位には、栄吉さんを酔わせとくから」

栄吉と七之助達兄弟を引き合わせると、新しい友がまたこっそり、そう請け合ってくれたので、若だんなはちょいとほっとする。ここで仁吉が気を利《き》かせ、人の目には見えない鳴家《やなり》以外の妖達に、目かつらを配った。

目かつらには、怒ったのや泣きそうなものなど、色々な表情の目と眉が書かれており、それを付けると、妖達の変わった姿も、余興にやる芝居の扮装《ふんそう》のようにしか見えないから助かる。狐達が七輪に葱鮪鍋《ねぎまなべ》を掛け、お重の料理が幔幕《まんまく》の内に行き渡ると、仁吉が三味線をじゃん、とつま弾いた。それを合図に、わっと楽しげな声が上がる。

「ああ、お花見が始まるんだ」

何重にも張り巡らされた幔幕の中、若だんなは風に揺れる花の波を見上げて、少しばかりぼうっとなる。遠く近く、他の花見客達の明るい声も聞こえてくる。すると横から、温かい酒の徳利が差しだされた。兄やかと思って花を見上げながら注《つ》いでもらい、礼を言おうと横を見たとき、若だんなは目を見張ることとなった。

「……あれま、生目神《いきめがみ》様！」

これまた考えの外の来客に、一時《いっとき》言葉を忘れる。こちらは以前、若だんなの目の光を持って行ってしまった、なかなかに恐ろしい神様であった。迂闊《うかつ》なことは口に出来ない。

「その、花見に来て下さったのですか」

「うん。あのな、上野の神社を訪ねたら、散歩から帰った狛犬《こまいぬ》が、広徳寺で若だんなを見たというのだ。花見に行く途中であったとか」

その時狛犬は、何やらちょいとばかり、若だんなのことが気になったという。それで生目神も様子を見にきたら、飛鳥山には良き酒があった。美味《うま》そうな肴《さかな》もあった。だから生目神は傍から若だんなを見るだけでなく、客として幕の内へ入ってきたのだそうだ。

そして神は、不意に若だんなをじっと見ると、「確かに、何か妙な」と言葉を継いだ。

「若だんな、御身、誰ぞ私と近しい御仁《ごじん》と、最近出会わなかったか？」

若だんなの頭の天辺から足の先まで、ゆっくりと見てから、神は問うてくる。

(最近て……どれくらい近くの事をおっしゃっているのかしら)

神の言う時の長さは計りがたい。しかし貧乏神の金次《きんじ》すら、このところお見限りであったから、若だんなは首を振った。すると生目神は眉間《みけん》に、くっきりと皺《しわ》を寄せたのだ。

「妙だの。何とした訳かの」

そうと言われても、他に返答のしようもなく、若だんなは黙り込む。己に向けられた生目神の目は真っ黒で深く、その中へ沈み込みそうで何故《なぜ》だか恐ろしい。

(こんな気持ちになるのは、花の下にいるせいかしら)

その時ふと若だんなは首を傾げた。そう言えばどこかで、不思議な御仁に出くわしたような、そんな気がしてきたのだ。

(何時《いつ》の事だ？　どこでの話だったっけ？)

確か己は、道を走っていたように思う。頭に、弓手《ゆんで》とか馬手《めて》とかいう言葉が浮かんだ。何か、思い出せそうな気がしてくる。喉元《のどもと》にまで、言葉が出てきていた。それは……。

「さあ、さあ、さあっ」

ところがその時突然、幕の内に大きな声がして、浮かんできた淡い光景が、霧散してしまう。何かが春の霞《かすみ》のように消え、もう摑みようもなかった。

「さあさ皆さん、せっかくのお花見ですわ。そうですからして、あたしが見事なもんを、披露いたしましょう」

花見の席で、まず余興を告げたのは、古狸の六右衛門であった。幔幕の中で、あれこれ働いている狐達に向け、わざわざ見ているようにと言うと、いきなり化け始めたのだ。

「あ、ほれほれ」

落ちてきた一枚の花びらを、ひょいと扇であおぎ、額へ載せる。そしてくるりとその場で回ったと思ったら、太い身の男が一寸《ちょっと》の内に、綺麗《きれい》な娘へと化けたのだ。

「桜の姫だ。こいつは見事っ」

太った親父《おやじ》よりも、若い娘っこが好きな妖達が、嬉しげな声を出す。随分と酔っぱらい、何と、妖らと酒を酌《く》み交わしている日限の親分も、大いに楽しそうに手を打った。だが、鍋の前に座った栄吉は目を見張っている。

「……どうやったんですかね、あの手妻《てづま》」

「六右衛門さんは凄いでんなぁ。さ、さ、栄吉さん。ぐぐっと一杯干して下さいな」

七之助が急いで勧めたのは、天狗が持参した奥山の銘酒であった。それで栄吉はつい、一杯二杯と杯を重ねる。

「おお、素敵な飲みっぷりだ。じゃ、あたしからも、お二人へ」

ここで横から二人へ酒を勧めたのは、屏風《びょうぶ》のぞきであった。

「おや、どこかでお会いしたような」

首を傾《かし》げる栄吉や笑う七之助に、他の妖《あやかし》達も代わる代わる酒を注いでゆく。友二人の顔は段々、西瓜《すいか》の中身のような色になっていった。隣で余り飲めない冬吉が、玉子焼きにかぶりついている。

(ああみんな、楽しんでいるみたいだね)

その様子を見て、若だんながほっと息をつく。そしてふと横を見ると、生目神の姿は既に無かった。

(なんと、消えてしまわれたか)

その時幕の内ではまた、口上が述べられる。見れば今度は狐達が、化ける気のようであった。

「さあさあ、一人より大勢がやる出し物の方が、華やかだよ。我らをご覧あれ」

声と共に、先程まで葱鮪鍋を配っていた狐らが、額を桜の小枝でとんと打って、身をひるがえす。すると現れたのは白拍子《しらびょうし》と僧侶《そうりょ》、それに大きな鐘であった。

「おっ、芝居だね。いよっ、天王寺屋っ」

野寺坊が声を掛け、女形に扮《ふん》した狐が、妖艶《ようえん》に身をくねらせる。「いいぞっ」と楽しげに声を掛けたのは寛朝で、弟子志願の道真が、直ぐに怖い顔を高僧へ向けた。

「寛朝様、僧がおなごの色香へ、目を向けるものではございません！」

「道真、あれは芝居だ。それに芝居のおなご役は女形、男だぞ」

「おなども、芝居も、真理とは縁の無いものでございます。つまりは僧とも、無縁がよろしいかと」

「……真理は酒ほど美味くないし、芝居より楽しくもない気がするが」

「寛朝様っ」

叱《しか》りつけるような声がした途端、「痛っ」という小さな悲鳴が上がり、狐の女形が頭を押さえる。見ると狐達の前に、枝が落ちていた。

「誰が投げたのだ」

数多《あまた》いる狐達が、一斉に声を荒らげたので、六右衛門が慌《あわ》てて違うと両の手を振った。勿論《もちろん》他の妖達も、きっぱり首を振る。せっかく楽しく花見を始めた所なのに、その趣向に水を差すつもりなど、あろうはずもなかった。

すると佐助が狐達へ、低い声を掛ける。

「幕の外にも花見客はいる。その者らが、ふざけることもあろうよ。小枝が飛んできたからといって揉《も》め事を起こし、若だんなの花見を邪魔してはならんぞ」

狐達は渋々引き下がると、気を取り直して化け、今度は勧進帳の弁慶の場を見せた。すると「成田屋っ」というかけ声と喝采《かっさい》を受けたので、揃《そろ》って胸を張る。それを見た六右衛門は、負けじと立ち上がった。次に化けたのは、何と江戸に名高き高僧、寛朝その人だった。

狸寛朝は一応似てはいたのだが、妙に腹だけが太くて可笑《おか》しい。見ていた当人が口をへの字にしたので、皆が大いに褒めた。悔しがった狐が、今度は六右衛門に化ける。元々太めな体を鞠《まり》のようにふくらませ、それを狐達が転がして遊んだので、笑い声が上がった。

「やあ、楽しい花見になってきましたな」

安堵《あんど》した様子の佐助は、ではそろそろと言い、立派な弁当箱を運んできた。どうやら若だんなの為《ため》の、とっておきの料理が詰まっているらしく、外枠から重箱を一段ずつ外すと、あれこれ説明し始める。

「まず一の重には、大板蒲鉾《かまぼこ》に、巻き蒲鉾。こいつは蒲鉾のすり身に、薄焼き玉子を貼《は》り付けてから蒸したもんです。それに蒟蒻《こんにゃく》の辛味煮転ばし、半片《はんぺん》、木の芽和《あ》えに胡麻《ご》《ま》和え」

佐助はお味見をと言い、大板蒲鉾を若だんなや周りにいる皆に渡してから、次の段のお重を引き出す。これには鯛《たい》の塩焼きとか、帆立貝の串焼《くしや》き、海老《えび》の鬼殻《おにがら》焼き、鮪《まぐろ》の雉子《きじ》焼きなど、焼きものが入っていた。

「三の重は、若だんなのお好きな田楽《でんがく》ですよ」

色々な種類があるから、七輪の火で温め直すと言いかけ、佐助が急に黙った。見ると重箱は、あと一つしかない。三種の混ぜ飯を小さな握り飯にしたのと、種々の漬物を入れた一段だけで、田楽の入った重箱は無かった。

「はて?」

弁当箱は付喪神《つくもがみ》ではないので、勝手に歩いて逃げ出す事は無い。佐助は側《そば》で「きゅんわー」と騒いでいる鳴家達へ目をやったが、皆、小乃屋の冬吉が差しだした、扇屋の玉子焼きを齧《かじ》るのに夢中で、重箱には目を向けていなかった。

今の冬吉には鳴家が見えていないはずだが、「きゅわきゅわ」という声と共に玉子焼きが欠けてゆくのが、面白いのだろう。飽きずに玉子焼きをあげ続けている。

「鳴家の仕業ではないようですね。では誰が田楽盗人《ぬすっと》なんだ？」

佐助が怖い声を出したので、若だんなは慌てて、鬼殻焼きが欲しいと小皿を差しだした。

「ねえ、食べきれないほど料理はあるじゃないか。玉子焼きも葱鮪鍋も来てるよ。皆にこのお弁当も、食べてもらおうよ」

佐助は渋々頷《うなず》き、まずは冬吉や鳴家達に、焼き物を差し出す。だが眉間にはくっきりと皺が刻まれているから、不機嫌でいるのは、間違いなかった。若だんなは、ぱくりと鬼殻焼きにかぶりついてから、淡い紅の雲のような花へ目をやった。

（一体誰が、田楽を持っていったんだろ）

幔幕の内には、料理が山とあるのだ。一声かければ、好きなものが貰《もら》えた筈《はず》であった。重箱を丸ごと持って行き、独り占めしてこっそり食べたとて、何だか美味《おい》しくないような気がして首を振る。

ここで童女達が、混ぜ飯を手に頬《ほお》を桜色にして、若だんなへ笑いかけてきた。

「満開の桜が、こんなに綺麗だとは思いませんでした」

「皆姉妹かと思うと、見ているだけで幸せで」

「そうかい、ああ花見に来て良かったねえ」

若だんなが笑って、二人に筍《たけのこ》の木の芽和えを勧める。その時であった。

「何をするんだいっ」

険《けん》のある声が、幔幕の内に響いたのだ。

4

小皿を持ったまま声の方へ顔を向け、若だんなは呆然《ぼうぜん》として動きを止めた。余興の化け合戦は、いつの間にやら本物の合戦へと、形を変えようとしていたのだ。狐と狸、つまり三浦屋の狐太夫《だゆう》揚巻《あげまき》と、巨大な狸独楽《ごま》が、信じられない程大きいしゃもじを振り回し、何故だか殴り合っていた。

「狸がまた、物騒なものを投げつけてきたっ」

「狐が、化けるのを邪魔したっ」

争いになれば、数が断然多い狐が有利と思われたが、古狸も術を使って応戦するから、直《す》ぐには決着がつかない。

「六右衛門さん、がんばんな」

「稲荷の御使いが、負けるんじゃないぞぅ」

妖達が沸き立ち、それぞれを応援すると、花見の席というよりは、相撲を楽しむ場のような感じになってくる。

重い着物を着た狐太夫が、いささかしゃもじを扱いかねていると、狸独楽が打ちかかる。瘤《こぶ》を作った狐太夫が、今度は岡崎の化け猫に姿を変え、爪《つめ》で狸独楽をひっかく。

「ぎょえっ」という声と共に、狸独楽はからくり仕掛けの弓引き童子と化し、狐に向け矢を放つ。化け猫はあっさり払いのけたが、その矢が若だんなの方へ飛んだものだから、事が剣呑《けんのん》な方へと逸《そ》れた。仁吉がじゃん、と乱暴に鳴らしてから、三味線を脇《わき》に置いたのだ。

(あら、半眼になってるよ)

若だんなは、楽しんでいる妖達をあまり叱らないよう、急ぎ兄やを宥《なだ》めにかかる。

だがその時仁吉よりも先に、化け猫達へ近づいた者がいたのだ。

「あれれ、栄吉ってば……」

呑《の》んで食べ、側で機嫌良く桜を見ているとばかり思っていたら、栄吉の目はいつの間にか、妖達へ向けられていたのだ。狐と狸は化け合戦をしていたから、平素人前に出ている時よりも、素の顔に近い。いきなり人である栄吉に側に来られて、双方立ちすくんでしまった。

「妙なものがいるよ」

栄吉の言葉に、幕の内が寸の間、静まりかえる。栄吉は更に一歩、狐と狸に近づいた。

「え、栄吉さん、どうしたんです？　酔いはったんかいな」

七之助が顔色を一気に青くし、引き戻そうとしたが、栄吉は先へ進んでしまう。そして栄吉の腕は、真っ直ぐ前へと突き出されたのだ。

「誰だ、こいつはっ」

その手の先は、化け猫と弓引き童子の間に向かっていた。その先で、双方をはやし立てていた、禿《かぶろ》姿を指したのだ。

「お前、さっきまで花見の席にゃ居なかっただろう。誰なんだ？」

狐と狸が、禿の顔を見つめた。妖や兄や達、それに寛朝達や親分、若だんなや童女達が互いを確認し……首を傾げる事となった。

「きゅわ？　こいつ誰？」

鳴家《やなり》の困ったような声は、ごん、という堅い音の後、「びいいぃっ」という泣き声に変わった。見れば鳴家の前で、殴った禿が舌を出している。

「やぁい、馬鹿《ばか》小鬼、間抜けぇ」

それから禿は、狐と狸へ目を向けると、「何が化け合戦だ」と、思い切り憎々しげに言ってのけた。

「どっちも下手！　下手、く、そ！」

「なっ」

呆然とした皆が、寸の間動けずにいた内に、禿はさっと幔幕《まんまく》をめくり上げ、その向こうへと逃げてゆく。

「待ちなっ」

一番近くにいた栄吉が、禿の着物を摑《つか》もうと手を伸ばした。だが、その華やかな衣装は、手の中で煙のように消えてしまう。栄吉はつんのめって、顔から幕の向こうへ倒れ込んでしまった。

（おやま、今の禿も妖か！）

若だんなが慌てて駆け寄り、友を助ける為、幾重にも張り巡らされた幕を一枚潜《くぐ》り抜ける。

途端、目を見張った。

「ここは……どこだっけ？」

顔を上げれば、そこには変わらないうす紅色の花の海が見える。だが幔幕は、ぴたりと重ねて張られていた筈なのに、幕と幕の間に、広い通路のようなものが出来ていた。

「そうだ、栄吉はどこ？」

幕の外にいる筈の友は、見あたらなかった。「栄吉？」呼んではみたが、応《いら》えはない。困って通路に沿い歩き出すと、佐助の呼ぶ声が随分と遠くから聞こえてきた。

「あれ？　私ったらそんなに歩いたかしら？」

転んだ栄吉の姿を追って、若だんなは幕一枚潜っただけなのに、隣にいた佐助と、いつの間にか随分と離れたみたいだ。若だんなは立ち止まり、気を落ち着かせようと、また桜を見上げた。

（……さっきの妖《あやかし》禿《かむろ》が、何か術でも使ったのかなぁ）

若だんなは今、あの妖禿に化かされているのであろうか。妖は、狐と狸の化け合戦のことを、〝下手くそ〟と言い切っている。つまり己の力に相当自信があるのだ。

（確かに並でないものを感じるねえ。栄吉が消えてしまったもの）

先程とは、様子が違う幔幕の中を歩いて行くと、益々佐助の声が遠くなる。これはいけないと戻ったが、それでも何故か声は遠ざかり、聞こえなくなってしまった。

「参ったな。さて、どうする？」

若だんなは内側の幔幕をめくり上げ、一旦元《いったん》の花見の席へと戻ってみた……筈であったが、そこも、ついさっきと様子を変えていた。緋毛氈《ひもうせん》など敷かれてはいなかったのだ。

「おやま？」

代わりに眼前に現れたのは、炬燵《こたつ》程もある巨大な玉子焼きで、それに鳴家が二匹かぶりついて、幸せそうな顔をしている。しかし若だんなは生まれてこの方、炬燵と玉子焼きが大きさを競っているのを、見たことが無かった。よって一つ首を振ると、鳴家達をつまみ上げる。

「きゅいっ、玉子焼きっ」

鳴家達が何時《いつ》になく、若だんなよりも食べ物の方に執着したので、袖《そで》の中から飴玉《あめだま》を取りだし、鳴家の口に放り込んでみた。途端、二匹の小鬼は目をぱちくりすると首を傾げ、己から若だんなの袖の中へと収まった。

その場には巨大な玉子焼き以外、何も無かったので、若だんなはまた幔幕をまくり上げ、幕の間へ出た。すると不意に風が吹き、外側の幕が、ふわりとめくれあがる。

「あ、栄吉がいたよ」

友は何やら幸せそうな顔で、花見客に菓子を勧めている。だが幔幕は直ぐに降り、友の姿が消えてしまった。

「栄吉っ、良かった、会えて」

急いで向かいへ走り幕の下をくぐった。だが何故《なぜ》だかそこに栄吉はおらず、代わりに不安げな顔をした僧、道真の姿があった。

「おや、若だんなだ。寛朝様を見ませんでしたか。はぐれてしまったのです」

おかしな禿が騒ぎを起こしたので、寛朝は事を納めるべく、その禿を追い、幕の外へと走り出て行ったらしい。置いてけぼりはご免だと、道真は直ぐに後を追ったのだが、幕と幕の間に高僧の姿は無かった。その後いくら歩き幕をめくっても、寛朝の背中すら見ることが出来ないでいるのだ。

「寛朝様は私と話をするのが嫌で、逃げてしまわれたのでしょうか」

弟子にしてくれとしつこく言い続けたものだから、嫌われたのかもしれないと、若い僧はうなだれている。評判を聞き憧《あこが》れ、知り人から頼んでもらい広徳寺に入った。そして何度も懇願したのだが、どうしても弟子にはしてもらえない。道真は、頭上で桜が咲いているのを忘れたかのように、ただ下を向いた。

「やはり私では駄目なのだ。役立たずと思われているのでしょう」

するとと若だんなは、あっさりと首を振った。

「寛朝様は道真さんのことを、ちゃんと認めておいでだと思いますが」

「まさか」

「だって、ですね」

若だんなが話し始めた、その時であった。風も感じなかったのに、横の幕がふわりと持ち上がり、二人の間でたなびいて互いの姿を隠す。幕が下りた時には、道真は目の前から消えていた。

「おや、ま」

思わぬ展開に、若だんなはきゅっと唇を噛《か》む。この奇妙な幕の間を作った怪しい禿は、花見の客同士が話をするのが嫌いらしい。

「参ったねえ。一体、消えたあの妖禿は、何者なんだろう？」

どうやらそれを考え、正しい対処をしなくては、花見の連れとも会えないし、この幕の間から出られぬようだ。初めて花見に来たのだし、若だんなは皆と共に呑んで食べて、ちゃんと花見を楽しんでゆきたかった。せっかく会えたのに、栄吉や日限の親分とは、まだろくに話もしていない。桜だとて、十分見てはいなかった。

(花見といえば、もしかしてさっき、田楽のお重を盗《と》ったのも、この妙な幕の間を作った妖かしら)

ならば捕まえて、大事な弁当箱の一段を取り戻さねばならない。

(だけど、問題もあるんだよねえ)

どう考えても、皆に術をかけた妖の力は強い。迷惑な程に強いのだ。

(妖である兄や達とも、妖退治で高名な寛朝様とも、王子が根城の狐達とも、まだ会えないでいるんだから)

つまり皆もまた、この奇妙な幕の内で迷っているに違いなかった。

「さて、どう手を打ったらいいかな。私に何か出来るだろうか」

つぶやいて、若だんなは薄青い空に映える花へ目をやり、腕を組んだ。先刻と変わらずにいるのは、満開の桜だけであった。寸の間考え込んでいたら、鳴家達が袖から顔を出し、若だんなを真似《まね》て、考えているふりをした。

5

（桜に助力を願おうか）

最初、若だんなはそう考えた。

しかし妖でもない春の花と、人である身が話すのは難しい。それではと思い立ち、頭上の桜に、話がしたい故《ゆえ》、花びらである童女達《わらわめ》の、居場所を示して貰《もら》えぬかと願ってみた。

「幔幕の上からなら、二人の居場所がわかるのでは？」

すると、音もなく花びらが、目の前の幕の向こうへと落ちてゆく。一度幔幕をめくってみたが、その先に花びらが落ちていないことを知った若だんなは、眉《まゆ》をしかめ、懐《ふところ》から紙と矢立《やたて》を取り出した。そしてあれこれ書き付けると、袖の内から呼んだ鳴家に持たせ、桜の枝にそっと乗せた。

空から声がしたような気がした。花びらの童女達が桜を見上げると、満開の花の中に、怖い小鬼の顔があった。

「あら、鳴家よ。鳴家を見つけた」

「本当だ。ああ、また誰かに会えたわ」

童女達二人は、桜の枝によじ登っている鳴家を指さし、嬉《うれ》しげに声を上げた。

先刻騒ぎがあったとき、童女達は、花見に来たのだから花を見ていようと、妖達の騒ぎの方へは行かなかったのだ。すると、皆が幔幕から出て行ってしまった。

優しい小乃屋の兄弟は童女達を気遣い出遅れたが、待っていても皆が戻ってこないと知ると、直《じき》に立ち上がった。

「若だんな達が心配や。ちょいと見てきますから、ここにいるんでっせ」

兄弟は、童女達に直ぐに戻ると言い、幔幕をめくって出たのだ。だがやはり、一旦緋毛氈の上から消えた者達は、待っていても帰っては来ない。

まだ余り手を付けていない沢山の弁当と、七輪の上で煮えている鍋《なべ》ばかりが目に入る。他に誰もいない花見の席というのは、妙に寂しかった。

そんな時、隅で身を寄せ合っている童女達の所へ、不意にどこからか、「きゅい」という声が聞こえてきたのだ。

「きゅわわわっ」

細い枝に慣れていないらしい鳴家は、見ている間に、桜から落っこちそうになる。童女達が悲鳴を上げると、上手《うま》いこと枝に掴まって、小鬼は二人の方へと顔を向けた。

それから「きゅーわっ」という声と共に飛び降りると、二人の振り袖の上に落っこちる。

渡された文を見た童女達は、にこりと笑って桜の木を見た。

寛朝は声を聞いたような気がして、花を見上げた。

先ほどから幔幕の間にずっといるのだが、幕は丸く張られているのに、後に従っていた筈《はず》の道真が、追いついて来ないのだ。されぱと逆さまに歩いてみたのだが、誰とも出会う事がなかった。

（菓子屋はただ、幕の外へと倒れただけに見えたが。若だんながそれを追って出た……）

それから妖達が後へ続き、そして戻っては来なかった。心配になり、寛朝も緋毛氈の外へと出たのだが、先に行ったはずの若だんなも、妖達もいない。不思議と寂しい場所でただ一人立ち止まり、寛朝は唇を歪《ゆが》めた。

「やられたわ。こりゃ、あの消えた禿の術の内に、いるようだな」

寛朝は妖退治をする者であったから、一旦術に囚《とら》われてしまうと、内から抜け出すのが難しいことを、ようく承知していた。だから何だかおかしいと思った後は、桜などと見ている余裕も無かったのだ。

「きゅわ」

声と共に満開の花が揺れ、中から見慣れた怖い顔が、ぼそっと出てきて下を見る。

「おや鳴家か。皆を見なかったか？」

呼び掛けると、鳴家は嬉しげにまた「きゅわわっ」と鳴いて、手を振った。見ると
その手に、何やら書き付けのようなものを握っているではないか。

「おい、誰かが文を寄越したのか？」

問うた途端、鳴家が花から飛び降りた。「きょーっ」そして寛朝のつるりとした頭へ、見事に腹ばいに張り付いたのだ。

鳴家が持っていた文によると、若だんなはとにかく、この難儀を終わらせたいらしい。

それで小鬼を桜に託し、寛朝への使いに出したのだ。使いの鳴家は頭の上に陣取ったまま、若だんなの口まねをし、寛朝に苦笑いを浮かべさせた。

「きゅい、寛朝様。妖退治の護符を書いて、皆を助けて下さいませ。お弟子に、ただの大法螺《おおぼら》ふきの僧侶《そうりょ》では無いことを示す、良き機会ですよ。きゅんわ」

寛朝は小鬼を手に取ると、「やれやれ」と言い、懐にあった紙を見せる。護符ならば、この紙があるだけ書いても良い。ただし、だ。

「効果のある護符が書けるものなら、とっくに私がこの幕の間から出ておるわ。つま

り今のところ、そんなものは書けぬのだ」

相手の妖《あやかし》は随分と強い。せめて名でも摑めぬと、効力のある護符など作れぬと、寛朝はあっさりと言う。

「ぎゅぺーっ」

鳴家はしかめ面《つら》を作ると枝へと戻り、満開の花の中をもそもそと、若だんなの所へ戻っていった。だが程なく寛朝の所へ帰って来て、また、あれこれと書かれた紙を差し出した。

〝ならば寛朝様、誰が我らを化かしているのか、知らねばなりません〟

若だんなからの書き付けは、そういう一文で始まっていた。では、今回術を使ったのは誰なのか。

〝花見の幔幕《まんまく》は今日張られたのですから、皆を捕らえている術も、今日掛けた訳です〟

つまり、先ほど花見の席で揉《も》めた怪しい禿が、やはり術を掛けた某《なにがし》だと思われる。あの禿は花見の席で、狐狸《こり》の化け合戦に紛れ込んでいた。つまり狐や狸の側にいても、正体がばれぬ程に、化けることが出来る妖なのだ。

〝そしてあの妖が、あれこれ文句を付けたのは、狐と狸に対してでした〟

その妖は、他の花見客を騙《だま》しに来たというよりも、狐や狸を皆がもてはやすのが、面白くなかったように見えた。それで花見の一行全員に、術を掛けたのやも知れぬと、若だんなはそう書いていた。

こっちを向け！　我の方が凄《すご》い。我の名を口にしろ！　もてはやせ、恐れろ、物語で語れ。狐や狸ばかりが化けるのではない。我の芝居が出来ぬのは、おかしいではないか。そういう声が、聞こえてくるようであるという。

「ほう、狐狸相手に、大いに対抗心を持っている妖か」

〝それでいて、狐狸達程には皆に、恐れられてはいない妖かもしれません〟

寛朝ならば、そういう妖が誰なのか、分かるのではないか。若だんなは期待の言葉と共に、文を結んでいた。

「成る程、のう」

寛朝は頷《うなず》くと、さてその術者は誰かなと考えを巡らせる。化けると聞けば、化け猫も思い浮かぶが、今日は若だんなの一行の内に、猫又のおしろと小丸がいる。

「同じ妖がいれば、とっくにそれと分かっておるじゃろう」

狐狸ではない。猫でもない。今回の術者は、この三つの内にはいないが、化ける者らしい。

「さてのう」

寛朝はまた文へと目を落とし、ちょいと眉尻《まゆじり》を下げた。若だんなが最後に一行付け足し、その妖のことをこう言っていたからだ。

〝その妖は、随分と寂しがり屋なのではと思います〟

「ああ、そうなのか」

妖退治で高名な僧は、妖と暮らす若だんなの言葉を読み、小さく笑う。幾つか名を考えた後、一つを選び、はっきりと頷いた。そして、その者の名を連ねた護符を何枚か書くと、鳴家《やなり》に持たせ桜の枝に返したのだ。

その妖の名は……。

6

「ああ狐のせいで、妙な妖に囚われてしまったわい」

「ああ狸のおかげで、あの禿《かぶろ》の術にはまったぞ」

怪しい禿を追って幔幕の間に出た時、狐と狸は先を争い、互いの尻尾《しっぽ》を引っ張っていた。よって同時に幕から出たものだから、二匹は同じ幕の間で、一緒に彷徨《さまよ》うこととなったのだ。

「おまけに、狐と共に居なければならんとはぁ。ああ、なんてことでっしゃろ」

「そいつはこっちの言葉だ！」

とことん共に居るのがいやならば、背を向けて歩き出せば良いものだが、二人はそうはしない。双方とも、自負心を大いに傷つけられていたからだ。消えた妖《あやかし》禿《かむろ》をとっ捕まえる事の方が、気にくわない相手から離れる事よりも、遥《はる》かに大事な問題であった。

「あの禿は、何という妖であろうかのぉ。狸を馬鹿《ばか》にしよってぇ」

腹立たしげな言いようを聞き、狐も首を縦に振る。

「狐に対し、術が下手だと言いよった。けしからん。大いにけしからん！」

早々に捕まえたいものだが、さて、どうするつもりかと狸に問われ、狐は幔幕を指さす。

「今朝方これを木の間に張った時、幔幕の間に道など作らなかった。奇妙に変わっている所が怪しい。されば術を破るには、これをどうにかせねばなるまいよ」

しかし、ならばと狸が幕を摑《つか》み、引き裂こうとした途端、幔幕は煙のようにその手から消え、今までと変わらず眼前に垂れ下がっていた。次に、狐が幔幕をめくったところ、幕で囲まれた小さな場所へ出た。そこからまっすぐ歩き、突き当たりの幕を上げると、狸がそこに立っていた。

つまり狐は元へと戻ってしまった訳で、術をかけた妖は、誰もその場から出す気は無いと思われた。

「この幔幕の術、なかなか破れぬな」

術の内に居る者は、常に惑わされてしまうものであった。二匹であれこれ試みるが、どうも上手くいかない。その内、狐狸は互いの顔を、そっと見た。

「その……狐どん」

「あのな、狸殿」

双方、相手にも良き案が、浮かんでいない事を確認すると、「されば」といい、言葉を続ける。

「互いに協力せねば、なりませんようで」

「そうすべき時だな。我らならば出来よう」

「実は狸として術を破るべく、気になっているもの……というか、方向はあるのですが」

六右衛門が指さしたのは頭の上で、空を見上げた狐も、大きく首を縦に振る。誰が術を掛けたにせよ、空の高みにまで力を及ぼすのは無理だろう。桜が縁を淡く染めている空は、ぽかりと空いた、外へ通じる道であった。

しかし狐も狸も、飛ぶ事は出来ない。桜の木に登って、枝伝いに逃れるという手もあるはずだが、木の幹は幕の外にあり、いくら歩いても行きつけない。目に入る場所に張り出している桜の枝は、随分と高い所にあった。

「されど六右衛門殿、空に術が及んでおらぬなら、桜の枝も術の外にあろう。なるだけ太い枝をしならせ、幕と幕の間へ引き下ろす事は出来ぬかな。さすればそれに乗れる」

狐の言葉に、六右衛門が頷く。だが幕に術が掛かっている以上、枝や花がそれに触れれば、狐狸の方の術が解けるかもしれない。二匹は枝を引き下ろす役と、幕に桜を触れさせぬ役に分かれ、術を掛けた。

「桜、桜、地面の方へ参られよ」

狐は花びらを額に付け、必死に気を集め桜に命ずる。頭上に大きく張り出していた枝が、手を差し伸べるかのように、地へと近づいてきた。

「花は空の方へ。地へ向かってはならんよぉ」

枝より下に花があると、幕に触れかねない。狸は両の手を額に当て、気合いを入れ念じた。

じきに上にばかり花を付けた大枝が、二匹の前へ現れる。これに乗って幕の外側へと行けば、術から逃れられる筈であった。

「狸殿、しっかり術で押さえていてくれ。我が枝に乗る故《ゆえ》」

「何を言うか。桜に登るのは私だっ」

押さえている者がいなかったら、枝は乗ろうとした途端、跳ね上がってしまうだろう。だから枝に乗れるのは一匹のみと思われ、双方それを譲らなかった。

「馬鹿を言うなっ」

二匹が枝から顔を背け、互いに怒鳴った、その途端であった。不可思議な程にしなっていた枝が、ぶんっ、と大きく上へとしなったのだ。

「あっ、ああっ」「きょんべーっ」

情けないような悲鳴があがる。しかしもう枝は下まで戻っては来ず、花びらだけが数多《あまた》空から舞い落ちてきた。幕と幕の間に狐が膝《ひざ》をつき、狸は尻餅《しりもち》をついた。

「駄目だったか」「きゅあああ……」

空を見上げる気力もないまま、二匹は大きくため息をつく。だが狐は不意に、辺りを見回した。確か今、妙な声が聞こえたからだ。

「きょんべーっ、とは？」

狐狸が首を傾《かし》げた時、しなった桜の枝に飛ばされたらしい鳴家が、落下した。何かを手に持ったまま、狸の柔らかい腹の上に落ちると、ぽんと跳ねる。「きゅげっ」落っこちてまた腹の上で跳ね、なかなか降り立つことが出来ない。だが気持ちが良くなってきたのか、鳴家は暫《しばら》く嬉《うれ》しげに、ぽんぽんと狸の腹の上で跳ね続けていた。

栄吉の作った菓子が、花見に来た皆から美味《おい》しいと褒められた。

夢を見ているような嬉しさに包まれ、栄吉はずっと同じ場所にいたので、突然巻き上がった幔幕から小乃屋の兄弟が出てくると、夢からうつつが現れたかのような、何か眩《まぶ》しそうな顔をした。

「おや驚いた、栄吉さんやないか。やっと誰かと会えた」

落ち着いて驚いている七之助と、大きく息を吐いた冬吉を見て、栄吉は首を傾げる。人に知られた名所へ花見に来たのに、不思議な事を言うと思ったのだ。

（さっきから皆で花見をしているのに……）

そう思った途端、栄吉は急にぶるりと身を震わせた。己は今……何をしていたのだろうか。そういえばせっかく来たのに、若だんなと暫く話をしていない気がして、栄吉は友の姿を探した。すると驚いた事に、先ほどまで栄吉の菓子を褒めてくれていた人々が、どこにもいないではないか。

広いと思っていた場所は、幔幕に仕切られた通路のような所に変わっていた。そこにいるのは、栄吉と小乃屋の兄弟だけであった。

「あれ？　何がどうなっているのやら」

今目覚めたばかりのように、いささか呆然《ぼうぜん》として七之助達を見ると、何故《なぜ》か小乃屋の二人は笑っている。

「飲み過ぎたんですな。ここはそう、酔っぱらいの夢の中みたいなもんですわ」

七之助に言われて、栄吉は納得した。

「夢ですか。どうも先ほどから、己の作った菓子が褒められてばかりいた。不思議に思ってたんです」

そう言うと、七之助が眉を八の字にする。

「そんなに言いなさんな。まだ修業中なんやから」

「そうですね、夢の中でまで嘆いていちゃ、駄目ですよね」

そう答えた時であった。「きゅんげっ」と、人ならぬ声がしたかと思ったら、頭の上から何かが降ってきたのだ。目にして、驚き立ちすくむ。それはどう見ても、小鬼であったからだ。小鬼は嬉しそうな顔をして冬吉の肩へ登ると、手にした書き付けのような紙を見せた。

「きゅわわ」

冬吉はそれを当然という様子で、貰《もら》っている。

「面白いなぁ。この妙な幕と幕の間にいると、鳴家が見えるらしいわ」

冬吉が小鬼に笑いかけ、いつもと変わらぬ様子で書き付けを読んでいるので、栄吉は益々夢の中だと確信した。

(しかし変わった夢だ。若だんなに話してやらなきゃ)

そういえば今日は随分と呑《の》んだ。これは既に酔っぱらったあげく、寝てしまったということであろうか。明日は二日酔いかと顔をしかめたその時、七之助が急に手を引いたので、栄吉はふらふらと歩き出した。

7

妖達と、屏風《びょうぶ》のぞきの着物を掴んでいた日限の親分は共に幕を出たので、護符を持った鳴家が行き着いた時も、一緒にいた。

寛朝が書いた、有り難き妖退治の護符を見て、妖達は最初、揃《そろ》って身を固くしたのだ。だが若だんなの文にて、護符はそこに書き込まれた名の主にしか効かぬと知ると、皆で一斉に護符を振りかざした。要するにここで妖達《あやかし》は、先の妖に化かされる側から、追いかける側へと変わった。

兄や達の所へ鳴家をやったら、さすがは妖と言うべきか、二人は護符を上手《うま》く使い、妖を退治するより先に、桜伝いに若だんなの所までやってきた。驚いたが、直《す》ぐにほっとした。

「ああ、やっぱり二人が一緒にいてくれるのがいいや」

若だんなは笑みを浮かべたのだが、二人の兄や達は不機嫌そのものであった。佐助が、がしりと若だんなを小脇《こわき》に抱えた後、二人は護符を貼《は》ってから、一気に目の前の幔幕を引き倒し始めたのだ。

「あれ、手荒いのはいけないよ」

若だんなが慌《あわ》てて止めていると、どこか離れた場所からも、派手な音が聞こえてくる。どうやら護符を手にした仲間達は、反撃というより、憂《う》さを晴らし始めた様子だ。

何しろ相手は一匹のようだし、こちらには数多の妖も、王子の山を根城とする狐達もいる。術をかけた幔幕というものが役に立たなくなると、形勢は一気に逆転した。

「こらっ、花見の名所で、人騒がせな音を立てるんじゃないよ。兄や達、止めておくれ……ああ、率先して無茶をして」

狐達が用意してくれた幔幕を壊すんじゃないと、若だんなが怖い声を出す。すると、ようやく幔幕は破かれず、ただ引き倒されてゆくようになった。

その内、緋毛氈《ひもうせん》が見えてきて、二人の童女が座っている、元の花見の場所が現れてきた。すると、目の前に妖達が現れた。寛朝や道真も、姿が見えた。栄吉や小乃屋の兄弟、日限の親分も無事で、若だんなはほっとする。

そして、そのもの達に取り囲まれるようにして、真ん中で立ちすくんでいる姿があったのだ。

「あ、妖禿だよ。やっと見つけた」

すると禿は、ここに至っても何とか逃れようとしたのだ。幕が倒れ、周りから丸見えとなったのに、どんどんと形を変え始める。

まずは恐ろしげな鬼に化けたが、小鬼達に妙だと笑われて、怯《ひる》んでしまった。では と、次は雷神らしきものに化けたのだが、稲荷《いなり》神にお仕えする神使の狐達から、溜息《ためいき》と共に首を振られてしまい、これまた困ったような顔で立ちすくむ。

次は虎《とら》に変わったが、猫又のおしろに牙《きば》をむかれ、慌てて別のものになる。その後、なんと絶世の美女に化けたのだが、これも誠に情けのない結果に終わった。

「色気が足りんの」

寛朝が、僧とも思えぬ言葉を口にしたのだ。おまけに若だんなが、生真面目《きまじめ》に言葉を付け足した。

「おっかさんの方が、ずっと綺麗《きれい》だけど」

美女は大層傷ついた様子で、よろけた。するとその時を、妖達と王子の狐達は見逃さなかった。

「おたえ様は、齢《よわい》三千年の狐、おぎん様の娘御よ。比べる程の美女に化けようなど、笑止！」

雪崩《なだれ》のように美女へ殺到すると、皆で取り押さえてしまったのだ。

「潰《つぶ》れちゃうよ。あまり酷《ひど》いことはおしでないよ」

若だんなが慌てて止めるが、妖達はせっかくの花見を邪魔されたものだから、不機嫌でなかなか引かない。その内寛朝が新しい護符を書いて、やっと皆を退かせ、緋毛氈の中に広い間が出来る。

その真ん中で伸びていたのは、小さな姿だった。〝化けること、おさおさ狐狸に劣らず〟と言われる、狢《むじな》であったのだ。

急いで、また幕が張り直された。

周りからは、随分と派手な花見だとは思われたようだが、有り難いことに、飛鳥山は踊りも鳴り物もかまわぬ地であったから、何とかなったようだ。

蓋《ふた》のある重箱に入った弁当や、酒樽《さかだる》の酒はほとんど無事であったし、地に転がってしまった鍋《なべ》や玉子焼きの代わりは、狐達が急ぎ扇屋へ頼みに行ってくれた。何より嬉しかったのは、妙な幕と幕の間に居たためか、余り時が経《た》っていなかったことだ。

「さあ、花見をやりなおそうよ」

何しろ、それは楽しみにしていた事だからと若だんなが言うと、兄や達も、素晴らしい花見にせねばと声を上げ、妖達も頷《うなず》く。直《じき》に鍋も玉子焼きも戻った。

「きゅんいー、玉子焼き」

再び見えなくなった鳴家《やなり》達へ、冬吉がちょっと残念そうに、また玉子焼きをあげ始める。皆もそれぞれに鍋を囲んだが……それでも狐や狸から、いささか文句も出た。

「どうしてその狢を、花見に呼ぶのですか」

「鍋に、妙なもんでも、入れるやもしれんのに」

言われた狢が、少しばかり身を小さくする。若だんなが笑って、返ってきた田楽を七輪で焼き始めた。

「さあ、あれこれあるよ。お食べな」

青い空と淡い桜色の下であった。花びらが時々散ってくる。

「桜の下にいるのに、誰かが一人きりで田楽を食べてるなんて、嫌じゃないか」

だから若だんなは、何としても田楽のお重を、取り戻したかったのだ。一緒に食べた方がいい。

「まぁ、確かに」

兄やが諦《あきら》めたかのように呟《つぶや》き、焼き上がった田楽を若だんなに勧める。それから妖達の小皿へ配ると、一本を狢の皿にも置いた。

「……」

狢はしばし無言でそれを見ていたが、じきにぱくりとやって、それはそれは嬉しげに、「美味《うま》い」と言った。すると横から七之助が一杯酒を勧めたので、それもまた、もの凄《すご》く美味そうに呑んだ。

やがて段々と、皆の眉間《みけん》の皺《しわ》も取れてくる。その内また、狐が手妻などやり始める。するとと狸も、懲《こ》りもせずに対抗し、なんと最後には狢まで加わって化け、本朝廿四孝《ほんちょうにじゅうしこう》をやり始めたのだ。

横では寛朝が、どうして道真を弟子に出来ぬのか、当人にやんわりと話していた。

「修行をし仏の言葉を論じ、真理を突き詰めるのも、僧としての道の一つであろうよ」

寛朝とて、それはよく分かっている。その道を極めた高僧も、今まで幾人《いくたり》もいたのだ。そして、微妙《みみょう》なる悟りを開く道へ至りたいと願う道真は、それを学ぶのに向いているとも思う。

「だがな、私のやりようは違うのだ」

多分、長く共にいれば違和感を覚え、道真は他の道を歩みたくなるだろうと、寛朝は続ける。高名だからと、師を名だけで選ぶべきではない。他の良き師匠を紹介してやろうと本人に言われ、道真はしおれてゆく。以前若だんなが言おうとした通り、寛朝は道真を認めている。ただそれは、道真の望んだようにではなかった。

「寛朝様は、寛朝様ですからねえ。真面目な御坊がこういう師を選ぶのは、恐ろしい間違いですよ、きっと」

仁吉がまた、しれっと言ったので、寛朝が「ふんっ」と返し、口をへの字にしている。

「でも寛朝様は、今日もそのお力を示されていました。凄いことだと思いましたのに」

道真はまだ納得がいかぬ様子で、般若湯《はんにゃとう》だと言って酒を口にした。

（ああ、色々思いはあるんだな）

その時若だんなが、ころころと笑う声に目を向けると、近くで童女達と日限の親分が、酒を酌《く》み交わし笑っている。

（親分さんの憂さも、少しは晴れたかな。ああ、栄吉が真っ赤な顔をしてるよ）

小乃屋の兄弟は勧め上手のようで、あちこちの酒杯を満たしている。

そういえば、来たかと思ったら、吹く風のように消えてしまった生目神がいたと、若だんなはふと気になった。座を見回したがやはりもう姿は無い。

（あのお方は、どうして花見に来たのだろう）

何故ああも早く、消えてしまわれたのか。

（私に、誰かと出会わなかったかと尋ねてらした。どういう事だったのかしら）

いくら考えても、さっぱり分からない。そうしてぼうっと桜を見ていると、仁吉がもっと食べろと、あれこれ勧めてくる。鳴家達がお裾《すそ》分《わ》けが欲しいと、膝《ひざ》に乗ってきた。

（とにかく、今日のお弁当は美味《おい》しいや。皆で一緒に食べるからかな）

そう、この春の日は、本当に楽しい。扇屋の玉子焼きを片手に、少しずつ酒を嘗《な》めていると、その内若だんなの頰も赤くなってくる。周りの話し声は大きくなり、馬鹿《ばか》笑いが上がり、鈴彦姫と獺《かわうそ》が舞い始めた。すると舞に合わせるように、ヅン、トテチンと、仁吉が三味線を弾き始める。鳴家達もひょいひょいと、団子を手に手に踊り出したものだから、狐と狸と狢も寄ってきて、長崎屋の妖達と、ふわふわと舞っている。酒の樽が驚くほどの早さで空になったらしく、緋毛氈の上に転がっていた。だから、妖達が宙で踊っているように見えるのは、酒のせいだろうと思う。

若だんながぺろりともう一杯、緋色の酒杯に注がれた酒を嘗め、頭上の花の海を見た。

「ああ、今日の宴《うたげ》。あれこれ起ったけど面白かった。これが花見の宴というものだったんだね」

ふわふわとした、桜の薄紅に抱かれる心地で若だんなが呟く。すると、仁吉と佐助がちょいと首を傾《かし》げてから、ええ、こういうものですよと言い、花びらの童女達と頷《うなず》いている。

それを聞き、ちょいと目を丸くしている寛朝の頭の上で、酔っぱらった鳴家達が滑って遊んでいた。

雨の日の客

1

若だんなが火事に遭遇し、屛風《びょうぶ》のぞき達が大変な目に遭ってから、一年の後。若だんなの甥《おい》である松太郎《まつたろう》が生まれて、二月《ふたつき》程経《た》った、そんな頃の話であった。

お江戸では、天の底が抜けたのではないかと思う程に、雨の日が続いていた。たまに僅《わず》かの間止《や》んでも、日が射《さ》すこともなく、また降り出す。おかげで道はどこも左官がこねた、土壁の泥のようだ。堀も川も水かさが増し、近くに住まう者達は不安げな視線を、流れへ向けるようになっていた。

そして、器物が百年の時を経て妖《あやかし》と化した付喪神《つくもがみ》の一人、鈴彦姫《すずひこひめ》も、この雨で難儀をしていた。

長崎屋《ながさきや》の若だんなが、長雨に負けぬ程長く臥《ふ》せっているものだから、鈴彦姫は本復を願って、己《おのれ》が納められている稲荷《いなり》神社へ、百度参りをしていたのだ。だが今日も朝から強い雨が止まないので、鈴彦姫は濡《ぬ》れ鼠《ねずみ》になってしまっていた。それでも雨の中、拝殿前の石畳を小走りに進むと、鈴彦姫は両の手を合わせ、また熱心に拝む。

(稲荷神様、火事の火が長崎屋へ迫ったものだから、火消しさん達が延焼を防ぐ為《ため》に、離れを壊してしまったんです)

あっという間の出来事で、屏風のぞきなど、たくさんの妖達が逃げる事が出来ず、崩れた離れの下敷きになったのだ。若だんなは妖達を掘り出し、一所懸命手当し、付喪神の本体を直しに出してくれている。

だが妖達は、なかなか元の通りにはならず、心配し過ぎた若だんなの病は、日頃以上に重い。いつもならば、もっと仁吉《にきち》の薬が効くのだが、今回は本当に寝付いてから長かった。

(若だんなが早く、治りますように)

百度参りとは、神社の入り口から拝殿へ向かい、参拝の後また入り口まで戻る、という行いを百回繰り返す。鈴彦姫は回数を間違えないように、小石を入り口の所に並べ、数えつつ参っていた。

「ふえ……くしゃんっ」

さすがに寒くて、拝殿の手前で、ちょっとばかり身を震わせる。だがこの天気では他の参拝者もいないから、助かってもいた。

(百度参りは人に見られぬ方がよいと、聞いたことがあるし)

拝殿でぺこりと頭を下げ、足早に朱の鳥居が立つ入り口へ戻ってゆく。だが鈴彦姫は途中、久方ぶりに足を止めることとなった。

「あ……」

いつの間に現れたのか、鳥居の脇《わき》に何人かの男達がいたのだ。男らは笠《かさ》を被《かぶ》り蓑《みの》を着て、一見真っ当であったが、目つきは鋭い。

鈴彦姫の姿を見ると、三人程の男達が近寄って来たものだから、思わず一歩後ろへ下がる。だが。

「この娘は違う。利根川の者ではないわ」

「と、利根川?」

思わず声を出したが、先頭の男が首を振ると、三人は鈴彦姫には構わず神社から去ってゆく。話している声が、僅かに聞こえた。

「珠《たま》のことは、雨が止むまでが勝負だ。急がねば」

「珠？　たま？……人捜しかしら」

とにかくほっとして、また百度参りを始める。だがまた、今度は横から声がかかった。

「おやぁ姉ちゃん、濡れてるじゃないか」

「えっ……」

いつの間にやら鈴彦姫の近くに他の男達が立っていたのだ。こちらは蓑も笠も着けておらず、大雨の下ずぶ濡れだが、それを気にする様子もない。参拝もせず鈴彦姫へ絡《から》んでくる姿が、何故《なぜ》だか怖かった。

(何の用かしら)

寸《すん》の間《ま》、陰の内に逃げ込もうかと思った。だが目の前にいる者が突然消えたら、この神社に化け物がいると噂《うわさ》が立ちかねない。

(この人達も、どこかに行ってくれないかな)

鈴彦姫が僅かに逡巡《しゅんじゅん》している間に、男達は急に動いた。

「寒いだろう。一緒に暖まらないか」

「姉ちゃん、若いなぁ」

しまった、と思った時には、ぎょろりとした目の男に腕を摑《つか》まれていた。頭に付けた鈴が、引っ張られてしゃりんと鳴る。こうなったら手を振りほどかないと、陰へと姿を消す事も出来ない。「痛っ」声を上げた途端、三人の手で抱え上げられてしまった。悲鳴が口から漏れると、男らが笑い出した。

「若だんなっ」

恐ろしさに包まれて、必死に名を呼んでみたが、勿論《もちろん》この小さな神社から、長崎屋に声が届く訳もない。もがいたが、しゃらしゃらと鈴が鳴るだけで、逃れられない。すくむ体に、雨が更に強く降りかかる。妖なのに陰に入る以外、ろくに出来ることが無いという事実が、身にしみてくる。怖い。情けない程に怖い。

「やだっ」

もう一度身をよじった、その途端であった。

「ひっ」己の声と共に、鈴彦姫は鳥居脇の草の上へ放り出されていた。びしゃっと水を跳ね上げて転がり、目の前がぐるりと回る。

「え……」ふらふらしつつ、鳥居の方へ目をやると、すぐ近くに新たな姿が立っていた。

「え、おんなの人？」

雨の向こうに浮かび上がった姿は、ぴたりとした股引《ももひき》をはき、短い着物の裾《すそ》をはしょって、まるで物売りの男のように見えた。だが、しゃんと背筋の伸びたその身は、確かにおなごのものに違いない。驚くほど長身で、無法な男達より頭一つ分高い所に目がある。男らを上から見下ろすと、おなごは大振りな口元を歪《ゆが》めて、吐き捨てるように言った。

「わざわざ神様の前で、娘さんに無体《むたい》をするなんぞ度胸のいいこった。よっぽど黄泉《よみ》の国の蛆《うじ》にでも、生まれ変わりたいとみえる」

「なんだとう」

「姉さん、威勢がいいねえ」

三人いるからか、ぱしりと言われても、男らに引く様子は見えない。鈴彦姫は怖かったが、こうなるとまた、己一人が陰の内へ逃げ込む事も出来なかった。このままでは、あのおなごも危ないと思われた。

(だ、誰か呼ばなきゃ)

とにかく多くの人目が集まれば、男どもは逃げて行くに違いない。生憎《あいにく》の雨で道を行く人の姿など見えなかったが、それでも鈴彦姫は必死に走り出した。

「だ、誰かっ。誰か来て下さいっ」

男の一人が、さっと鈴彦姫を追ってくる。（怖いっ）それでも、また人を呼ぶ。男はあっという間に、鈴彦姫に追いついてきた。

「あ、こいつ」

（来ないでっ）

顔を強《こわ》ばらせ、振り返る。その時。

「えっ？」鈴彦姫の目の前で、男の顔が歪んだのだ。ごんっ、という鈍い音がしたと思ったら、前にいた体が横にすっ飛んだ。

「あ、あら、まぁ……」

いつの間に走り寄ったのか、驚いた事に先刻のおなごが、すぐ側《そば》に立っていた。

「この女っ」

怒声と共に、二人の男がおなごの背後から、泥を蹴立《けた》てて駆け寄ってくる。一人が懐《ふところ》より短い刃物を取り出したのを見て、鈴彦姫は息を呑《の》んだ。

しかし。おなごはさっと振り返ると、刃物の事など気にもしない様子で、己から二人へ駆け寄って行ったのだ。その後の動きは、目で追い切れぬ程に素早かった。一人の顔面には拳《こぶし》を一発、残りの男の下っ腹には蹴りを一つ入れると、余りにもあっけなく、二人は動かなくなってしまった。

「弱いねぇ」

面白くもなさそうにつぶやくと、おなごはさっと、地面に膝《ひざ》を突いた鈴彦姫を振り返る。

「大丈夫かい？」

問われた、その途端。

「まあっ、素敵に格好のいい姉さんだこと」

鈴彦姫は女人の涼しげな容貌《かんばせ》を見て、思わず身をもう一度震わせていた。

2

「鈴彦姫を助けて下さって、本当にありがとうございます」

江戸は通町《とおりちょう》の廻船問屋《かいせんどんや》兼薬種問屋《やくしゅ》長崎屋の離れで、跡取り息子である若だんなが、布団《ふとん》から身を起こし深々と頭を下げていた。相手は長火鉢の横に座った背の高いおなごで、鈴彦姫の大恩人であった。

稲荷神社前での立ち回りが終わった後、二人はずぶ濡れだった。己の身一つならば、いつもの稲荷神社で何とかするのだが、鈴彦姫は恩人に、乾いた着物を調達する事が出来なかった。それ故《ゆえ》若だんなを頼り、長崎屋へ連れてきたのだ。

二人は最初、おかみのたえの着物を借りたのだが、おなごは長身故、臑《すね》まで見えてみっともない。ではと佐助《さすけ》の着物を一枚拝借し、細身の帯を昔風に腰で巻くと、おなごにぴたりと似合って、颯爽《さっそう》とした感じがした。

「おや、格好の良いお人ですねぇ」

笑った途端咳《せ》き込んだので、側にいた佐助が、若だんなを寝かしつけてしまう。若だんなは搔《か》い巻《ま》きの下から、もう一度鈴彦姫の無事な姿へ目をやると、ほっと息を吐いた。

「実は先年うちの者が何人か、火事の折りに、その身を損ないましてね。未《いま》だに心配しているところなんです」

これで鈴彦姫にまで何かあったら、おちおち寝てもおられなかったと言うと、佐助が布団の脇で、薬湯の用意を始めた。若だんなが改めて己の名を名乗ると、おなごは僅かに首を傾《かし》げてから、「おね」だと名乗った。

「多分、おねか、ねねだ」

「はて、己の名に多分とは？」

部屋の隅の陰から声がすると、わらわらと湧《わ》き出てきた者達がいる。数多《あまた》いるのは小鬼達で、家を軋《きし》ませる妖の鳴家《やなり》だし、その後からも、蛇骨婆《じゃこつばば》に獺《かわうそ》、野寺坊《のでらぼう》、猫又《ねこまた》のおしろと小丸《こまる》、五徳猫《ごとくねこ》までが姿を現してきた。

離れを居場所にしている鳴家以外は、普段居着いている場所に大雨でおれなくなった故、長崎屋へ避難してきた妖達であった。よって今は大いに仕方なく、離れにあるお菓子を食べ、ゆったりと雨が止むのを待っているのだ。

奇妙な風体の連中の出現に、おねが片眉《かたまゆ》を上げると、若だんなが夜着《よぎ》の内で笑い出す。そして己の祖母は齢《よわい》三千年の大妖《たいよう》だと、そう告白したのだ。それ故長崎屋には、犬神《いぬがみ》である兄《にい》やの佐助や、他の妖達が、当然のように暮らしている。今もおねの膝に近寄り、乗って甘えたそうにしている鳴家達など、本当に沢山住み着いているのだ。

「へえ、奇妙な店なんだね」

「でも、おねさんも妖だ。鳴家が膝に乗っても、大丈夫ですよね？」

若だんながちょいと咳き込みながら尋ねると、おねが目を見開いた。

「おや、あたしも妖なのかい？　そいつは驚いた」

「えっ？　だって……そうだよね？」

若だんなに目を向けられ、部屋内の皆が一斉に頷《うなず》く。するとおねが腕を組み、大きく息を吐いた。

「そうかい、やっぱりあたしは、ただの人って訳じゃなかったんだね。この通り大きいし、男を相手にしても、喧嘩《けんか》じゃ負けない。どうも妙だなとは、思ってたんだけどさ」

語り始めたところによると、おねは三日ほど前、江戸川の海に近い辺りの岸辺に倒れていたのだという。その日も大雨であった。

「あれま」

「目を覚ましたはいいけど、驚いたさ。はて、己がどこの誰か、分からないときたもんだ」

この雨の中、川で溺《おぼ》れでもしたのか総身《そうみ》はずぶ濡《ぬ》れで、着ているものから出自を推し量る事も出来なかった。何か己が分かる品がないかと探ったところ、着物の内に残っていたのは、わずかなものだ。その内の印籠《いんろう》に、名らしきものが、かすかに書かれていた。

「それが〝おね〟か、もしくは〝ねね〟さ」

そういえば、そんな名だった気がしたので、そのまま〝おね〟と名乗っている。

「だが名以外のことは、とんと知れなくてね」

仕方がないのでおねは、それからあちこちを回り、誰か己を知らぬか尋ねて回っている。目立つ背の高さ故に、あっさり知人に会えるのではと期待したが、そうは問屋が卸さないらしい。

「それでこの三日、ろくに食べても寝てもいないんだよ」

いい加減じれてきた時、おねは雨の中、鈴彦姫の悲鳴を聞いたのだ。

「おかげでちょいと暴れて、さっぱりした。おまけにこうして、自分の事も若だんなに教えて貰《もら》って、助かったよ。いや、この身が妖《あやかし》だとは思わなかった」

いきなりそんな事を言われ驚いたであろうに、おねは大らかに笑っている。その姿を、鈴彦姫は眩《まぶ》しそうに見てから、急ぎおねが食べるものを調達しに母屋《おもや》へと向かった。若だんなは煎餅《せんべい》などを勧めてから、おねに、暫《しば》く長崎屋の離れにいてはどうかと聞いた。

「勿論、早く己探しをしたいとは思います。でも、もう少ししたら、頼れる人が帰ってきますから」

長崎屋にはもう一人、仁吉という妖の兄やがおり、その本性は万物を知る白沢《はくたく》なのだ。おねが何者なのか、仁吉ならば見ただけで、もっと分かるかもしれない。

「仁吉は今、少し遠くに行ってます。壊れた屛風《びょうぶ》のぞきという付喪神《つくもがみ》を直して貰う為《ため》に、名の知れた表具師を訪ねてるんですよ」

屏風のぞきは随分と具合が悪かったので、若だんなは薬を調合する事が出来る仁吉に、その本体である屏風を託したのだ。

「ですがこの雨です。雨に濡れたら益々付喪神は弱るでしょうから、仁吉は途中の宿で、足止めを喰らってると思います」

だから、少々待つことになるかも知れぬが、それでもただ歩き回るよりはましだろう。そう話すと、おねはあっさり頷いて、若だんなにきちんと礼を言った。

「鈴彦姫さんを助けたのは、たまたまの事だった。なのに大層良くしてくれるね」

おねはここで待つのは構わないと言う。それにもう一つ、己の身を知る為の手がかりを持っていると、にっと笑ってから懐に手を入れ、皆の前にお披露目した。

「おや、これは……不思議な感じの珠《たま》だ」

丸くて澄んでいて、きらきらしいので、水晶珠のようにも見える。しかし、大きく違う所があった。珠の中程に細い筋が一本あり、見ていると、それが時折動くのだ。

「目の迷いじゃないよね」

若だんながつぶやくように言うと、珠の筋がまた急に動いたので、小鬼がぎゃっと声を上げ、若だんなの袖内《そでうち》に避難する。若だんなは吸い寄せられるように、おねの手中の輝きを見つめた。

「もしかして、この珠は妖なんだろうか」

若だんなのつぶやきを聞いたおねが、分からないと首を振る。

「やっぱりみんなも、珠の中身が動いているように見えるんだね。あたしは最初、生き物でも封じられてるのかと思って、珠に声をかけてみたのさ。でも返答は無かった」

そしておねは何度珠を見ても、どうしてこんな不思議なものを手にしていたのか、さっぱり思い出せないのだ。

「妖さん達は、こんな珠のことを聞いたことないかい?」

おねが期待して尋ねたが、誰も頷かない。寸の間がっかりした様子ではあったが、おねの立ち直りは早かった。

「だがまあ、こいつを持っていたおかげで、分かったことはあったんだよ」

おねが珠を頼りに、己の手がかりを探していた時、綺麗《きれい》な珠だというので、取り上げようとした馬鹿《ばか》がいたらしい。そしてその時おねの体は勝手に動き、自分が大層強いことを知ったのだ。

「おかげで、後で鈴彦姫さんを助けられたってぇ訳さ」

こんな大雨の中、ずぶ濡れになってまで盗みを働こうとは、本当に人っていうのは欲深いと、おねは言う。だが若だんなも人だったかねぇと付け足すと、頭を下げた。

「いえ、それは本当に大変でしたね」

ここで若だんなは、不意に首を傾げ珠を見た。

「あれ、何だか……」

こんなに大きい、不思議な珠など見たことはない筈《はず》だ。なのに、どこかで同じようなものを目にした事があるという、そんな心持ちになったのだ。

（でも、どこで見たのかしら？）

内から光が滲《にじ》み出るような、強いものを感じる珠だ。若だんなは真剣に珠を覗《のぞ》き込み、しばし考え込む。

この時ざっと音を立て、一段と大粒の雨が表の地を打った。すると妖達が、急に庭に面した障子へ顔を向けたのだ。

3

雨音で、離れに近づいて来る足音が、聞こえにくかったらしい。

「一太郎《いちたろう》、具合はどうだい？」

表から声が掛かったと思ったら、不意に寝間の障子が、からりと開けられたのだ。顔を出してきたのは父の藤兵衛《とうべえ》で、近所の店主達との会合の帰りだと言う。母屋へゆく前に、大事な大事な息子の様子を見に来たらしい。ありがたいことに妖らは、おねを引っぱり一瞬の内に隣の間へ転げ込んで、消えていた。

「この雨のせいか、底冷えがする。苦しかったら我慢せずに言うんだよ」

「大丈夫ですよ、おとっつぁん。でもこんな日に、会合だったんですか」

若だんなが掻い巻きから、首を出し問う。藤兵衛は珍しくも厳しい表情となった。

「いや、実はこの雨の事でご近所と、急ぎ話し合いをしたんだよ」

藤兵衛は夜着の横に座ると、息子の額にちょいと手を当て、ほっとしたように頷く。そしてそれから、心配事を話し始めた。

「そのね、深川の方じゃ、既に出水《でみず》があったようなんだ」

あの土地は低い上に、縦横に堀川があるから、水害にあいやすい。しかし今回は深川以外の場所も、大雨が降り止《や》まぬ為、用心をせねばならぬ気配だというのだ。

「長崎屋近くの堀川も、道の際《きわ》まで水が増してきてるからね。このままだと、どこが溢《あふ》れても不思議じゃない」

長崎屋では既に土蔵や店の中の荷を、二階へ上げたらしい。雨の中、他の地に立つ長崎屋の倉へも、使いを出したという。

「そんな時に……寝ていて済みません」

跡取り息子が情けなさそうに謝まると、藤兵衛は優しい子だねえと、息子を褒める。それから本気の顔になり、実は若だんなにもすべき仕事があると言い出したのだ。その事を告げる為に、わざわざ離れへ寄ったらしい。

「あの、私に出来ることですか？」

若だんなが思わず、嬉《うれ》しげな声を出す。煮詰めた砂糖よりも子に甘い父親は、大まじめな調子で、まずは兄やへ尋ねた。

「佐助、一太郎が逃げる為の舟は、もう用意してあるんだろうね？」

「もちろん、抜かりございません」

大きく頷くと、藤兵衛は大切な息子へ、大真面目《おおまじめ》に用件を告げた。

「水の中を歩いたら、濡れて熱が上がるよ。だからね一太郎、お前は一足先に逃げておくれでないか」

少し遠いが、根岸にある寮まで行けば、ゆっくり休める。それが大変であれば、途中の広徳寺《こうとくじ》で一旦《いったん》休むといいが、大丈夫かと、甘い父親は真剣に心配しているのだ。

若だんなは急に、力が抜けたようになった。

「おとっつぁん、私の役目ってそれですか」

「普段、たんと寄進してあるんだ。広徳寺さんにはこういうときに、力になって頂こうかね」

藤兵衛は、赤子を抱えた松之助《まつのすけ》達にも、寺へ行くよう使いを出したと言った。それから、目を母屋へ向ける。

「もし道が水を被《かぶ》ったら、奉公人達が逃げるのも大変だ。だからこの辺りの店主達で話し合って、早めに店を閉める事にしたんだよ」

心配せねばならないのは、店の者達だけではない。町内には数多の者達が住んでいるが、この辺の裏長屋の連中は、出水に慣れていない。行く当てのない者もいるだろう。

「だから、大家にそれぞれの店子《たなこ》達をまとめさせる。そして皆で、縁《ゆかり》の寺へ行こうという話になったんだ」

それが店主達が出した結論らしく、既に大家へは使いが向かったという。若だんなはその話を聞き、表情を引き締めた。

「分かりました。申し訳ないけど、私は佐助と舟で逃げます。おとっつぁんは皆を助けてやって下さい」

半端《はんぱ》なく病弱でも、先に逃げるのが格好悪いと思っても、とにかく半病人が足手まといになることだけは、してはいけないのだ。それが、今の若だんなの務めであった。

藤兵衛は息子へ優しく頷く。

「ありがたいというか、こういうときにおたえが、寮の方に行ってて良かったよ」

有り体《あ》《てい》に言うと、大雨を気にしたおたえの守狐《もりぎつね》達が、店を離れられない亭主の藤兵衛を置いて、さっさとおたえだけ避難させていたのだ。若だんなも誘われたが、仁吉の帰宅を待っていたので、離れに残っていた。

ここで若だんなが、外へと目を向ける。

「おとっつぁん、隣の三春屋《みはるや》さんですが、今、栄吉《えいきち》がいないから、おじさん達二人きりです。出来たらうちの奉公人達と一緒に、広徳寺へ連れていってくれませんか」

きっと栄吉は修業先で、もの凄《すご》く心配しているに違いなかった。

「分かった、そうしよう。じゃあ佐助、一太郎をくれぐれも頼んだよ」

心配性の親が離れから消えると、若だんなは厳しい顔の佐助の横で、掻《か》い巻《ま》きから這《は》い出した。急ぎ綿入れを着せられていると、隣の部屋に隠れていた妖達が顔を出す。

「こいらも、水が溢れそうなんですか？」

団子を抱え戻って来た鈴彦姫が、心配そうに聞いてくる。若だんなは頷いた。

「どうやら、待ったなしのようだ。お前さん達も近所の人たちと一緒に、広徳寺まで逃げるかい？」

上野まで行けば大丈夫だと言ったが、妖達は不安げな顔を見合わせ、首を横に振る。

「これから大勢の人が逃げてゆく場所ですよね。この身が妖だと、うっかり人に見つかったら、大騒ぎになるような気が……」

鳴家《やなり》以外の大抵の妖は、人の目に見えるのだ。陰の中に潜む事は出来るが、逃げる途中で一帯が大水に飲み込まれてしまったら、慌《あわ》てて人前に飛び出すか、溺れるしかない。腰が引けている妖達を見て、若だんなは母屋を指さした。

「じゃあ、母屋の二階へ移るのはどうかな。平屋の離れよりは安心だろう。おっかさんは留守だし、寝間から二階へ出入りできるよ」

この辺りでは、いつもは水害の話など聞かない。たとえ川が溢れても、二階の屋根まで水に沈む事は無かろうと思うのだ。直《じき》に奉公人達は長崎屋を出るだろうし、隠れている分には、支障は無い。

「それでも万一の時に備えて、屋根裏に戸板を何枚か用意しておくんだよ」

二階にまで水が来た場合は、それを筏《いかだ》にして、妖達は水の中を逃れるのだ。

「ねえ佐助、それで大丈夫だと思うかい？」

問うた先に、佐助の姿が無かった。兄やは舟の支度に行ったらしい。だが直《す》ぐに小走りで離れに戻ってくると、佐助は若だんなに張り付いたままの妖達へ渋い顔を向け、溜息《ためいき》をついた。

「お前さん達は皆、長く生きてきた妖であろうが。己《おのれ》の身くらい己でどうにかしろ」

「だって佐助さん、その……ここ最近は何があっても、長崎屋があると思ってたから」

妖らが声をそろえると、横で若だんなが小さく笑い、新顔のおねに頭を下げる。

「ゆっくりして貰《もら》うつもりだったのに、落ち着かぬ事になって済みません。おねさんは、一見人にしか見えない。店の皆と共に、上野へ向かいますか？」

「いや、あたしも妖ならば、人の避難先は場違いだろうさ。妖仲間とここにいよう」

話している内に母屋から、急ぎ畳を運んでいるらしい、奉公人達の声が聞こえてくる。

「おや二階に運び入れているんだね。畳がたんとあるなら、贅沢《ぜいたく》な寝床が出来るわな」

おねが鷹揚《おうよう》に言うので、妖らの緊張が、少しばかりほどけた。暫く母屋の様子を窺《うかが》っていると、じきに慌ただしい足音が聞こえなくなる。間を置いてから、鳴家を一匹母屋へ見にやったところ、どうやら奉公人達は早々に、店の前の道へ集まっているらしい。

「裏手の長屋の連中も、早、通りに向かったみたいです」

向かいの店や、奥の長屋の連中も表へ出たという。暫くこの辺りから人気が消える訳で、空の家ばかりが残る町というのは、なんだか怖いような気がする。夜になれば、明かり一つ見えなくなるに違いなかった。

すると母屋から、藤兵衛の声がした。

「一太郎、もう逃げたかい？」

「おとっつぁん、今、出る所ですよ」

「早くするんだよ。私もそろそろ発《た》つ。皆と、上野まで歩いてゆくからね」

店内からの声は、強い雨音に消され気味であった。大店《おおだな》の主《あるじ》であれば、番頭にでも先導を任せ、舟に乗ることも出来るのに、藤兵衛は土砂降りの中を歩むつもりらしい。

「番頭さんによると、近くのお店《たな》のご主人も、何人か一緒に行かれるようですね」

佐助が立ち上がって蓑《みの》を着けた。その時、表の方から大勢が歩む音が、びしゃびしゃと聞こえてくる。並の時でさえ、上野まで行くことは随分な遠出であった。この雨の中、年寄りや子供も連れ大勢で移動となると、難儀に違いない。

「……私も皆と、行けたらいいのに」

無理をしても、却《かえ》って迷惑になるだけと知っているから、若だんなは舟でゆく。でも、何とも歯がゆい思いが、総身を包んでもいた。一人役に立たないようで、悔しい。情けなく、悔しい。

「本当に、何でこんなに雨が続くのかしら」

誰かが天で癇癪《かんしゃく》を起こし、雨雲の底を踏み抜いてしまったかのようだ。縁側で立ちすくみ、しばし雨を見ていると、佐助が残っていた若だんなの夜具と離れの畳を、あっという間に離れの天井裏へ放り上げた。

「ほら妖《あやかし》達。店はすっかり空だ。そろそろ母屋へ移りな。鳴家、離れにある菓子は好きにしてもいいぞ。それから台所に、今日店で食べる筈だった料理が残ってるはずだ」

飯は奉公人らが急ぎ、握り飯などにして持って行ったようだが、汁物、煮物や豆腐など、持ち運びにくいものは残されている。

「あれも、食べていいからな」

佐助の言葉を聞き、妖達はさっそく台所へ向かった。それから佐助は急ぎ、若だんなにも雨除《あめよ》けの蓑を着せかける。大雨の中舟に乗るのだから、笠《かさ》では役に立たないのだ。

そのあと更に、大事な若だんなを掻い巻きでくるみ、小脇《こわき》に抱えると、佐助は雨の中を堀へと駆けだした。

4

佐助が竿《さお》を使うと、若だんなを乗せた舟は、水の上を滑ってゆく。堀川の水位は、既に道と同じくらいの高さになっていて、今にも流れと違う方へ溢れ出しそうであった。

雨足が強かったから、舟の中程に座った若だんなは、溜《た》まった水をかき出す為《ため》の手桶《おけ》を手にしている。何匹か付いてきた鳴家達が袖《そで》から出て、手《て》にしたお玉杓子《たまじゃくし》で水をすくい、真似《まね》て遊び始めた。

「八丁堀は長崎屋より海に近いけど、日限《ひぎり》の親分は大丈夫かな。それに妖達、一遍に何もかも食べてしまって、後でお腹を空《す》かせたりしなきゃいいけど」

若だんなは岸の方を向き、しきりと残してきた者達の事を口にする。

「仁吉が心配して長崎屋へ戻ってきたら、行き違いになるかも……」

すると佐助が、妖達は大丈夫ですよと、落ち着いて言葉を返した。

「連中は長生きです。水害くらい、何度か乗り越えてきている筈《はず》ですから」

「あらま……そうか」

ならば、こんなにも続く大雨だとて、妖には珍しくもないのかと尋ねてみる。するとさすがに、こんな降りは初めてだと言い、佐助は寸の間天を仰いだ。若だんなも空を見上げると、あっという間に顔が濡《ぬ》れてゆく。

「妖も経験の無い程の雨、か」

そう聞くと、やっぱり心配になり、若だんなは岸の先に見える店へと視線を向けた。途端、急に身を乗り出したものだから、小舟が揺れる。

「若だんな、危ないですよ」

「佐助、岸に残っている人達がいるよ。ほら、土蔵の脇。あっちにも何人かいる」

水害を恐れず、家に居ることを選んだ物好きか。それとも逃げ遅れた者がいたのか。

「大丈夫かしら」

目が離せずにいたが、暫《しばら》く人影を見ていると、どうにも動きがおかしい。若だんなはじきに、眉間《みけん》にくっきりと皺《しわ》を寄せた。

「ねえ佐助、岸にいる人……次々に家を覗《のぞ》き込んでいるんだけど」

佐助は櫓《ろ》をこいだまま町並みに目をやり、溜息をついた。

「あれは多分、厄災の時に一儲《ひともう》けしようという輩《やから》でしょう。人が居なくなった途端、あくどいのが湧《わ》いて出たようですね」

町の皆は、大急ぎで避難の支度をしたのだ。きっと今なら、簡単に入り込める家もあろうし、とがめ立てする者など誰もいない。

「火事の後とか、多く見ますね。だが今回は逃げ遅れたら、己が水に飲み込まれそうだ。素人《しろうと》の出来心ではなく、入れ墨でも入れている連中かもしれません」

やれ、己の命より金が大事かと、佐助が口元を歪《ゆが》めている。だがどの店でも、金子《きんす》だけはきちんとしまい込んでいるはずだ。雨の中嵩張《かさば》る品を持ち出すのは、難儀であった。

「だからどうせ、大して盗めやしません。放っておきましょう」

「でも佐助、ごらんな。うろついている連中は、長崎屋の方へ行くみたいだよ」

廻船問屋兼薬種問屋長崎屋は、近所でも大きな店であったし、商売は順調、裕福で聞こえている。もし、ここいらで盗みに入るのなら、狙《ねら》ってみたい店だろう。

ここで若だんなが、顔を顰《しか》めた。

「拙《まず》いよ。今日は妖達が店にいるのに」

こういう時だから、どこの店でも二階や屋根裏に物を上げていると、誰もが思う筈だ。盗人《ぬすっと》達は長崎屋へ押し入ったら、きっと二階へ行ってしまう。

「妖達は誰も来ないと思って、皆くつろいでいるんじゃないかな」

そして、そんな時に盗人と鉢合わせをしてしまったら……どうなるのだろうか。

「心配のしすぎですよ、若だんな。あいつらは何とか、陰の内へ逃げ込みますって」

「酔っぱらってても、大丈夫かしらん」

台所には酒もあるから、のんべえの妖達は、呑《の》むに違いない。それに母屋《おもや》には今、あのおねが一緒にいるのだ。

「おねさんは強いから、何かあったら逃げるより、向かってゆきそうな気がする」

だが盗人達が、長どすを持っているやもしれない。今一帯には同心も岡っ引きもいないから、賊は手加減なしに暴れそうであった。

「どうしよう。ああ、皆を置いてくるんじゃ、なかった」

たとえ妖達を戸板の筏に乗せてでも、一緒に店を離れるべきだったのだ。若だんなは雨を身に受けつつ、岸を見続ける。

「私は先の火事の時、屏風《びょうぶ》のぞきを守れなかった」

付喪神《つくもがみ》である織部《おりべ》の茶器も、失ってしまった。大怪我《おおけが》をした鳴家達はやっと、建て直した離れに落ち着いた所であった。また妖達に何かあったら、耐えられない。

「佐助、戻ろう!」

そう口にした若だんなが立ち上がり掛け、途端舟が大きく傾く。佐助は素早く若だんなの襟首を摑《つか》むと、その顔を覗き込んだ。

「若だんな、吃驚《びっくり》するようなことを言い出さないで下さい。目の前の堀をようく見て!」

堀川は濁って大きくうねり、まるで生き物のようで、見ていると怖い。程なく水は溢《あふ》れる。確かに今は、この大雨から急ぎ逃げなくてはならない時なのだ。

「この舟は小さいですし、出来たら早いとこ、安全な岸まで行きたいんですよ」

だから佐助は何と言われようとも、舟を戻す気などないと言った。いやここで長崎屋へ戻ったりしたら、佐助は後で藤兵衛とおたえに責められる。それだけでなく、仁吉と合戦のごとき諍《いさか》いになること、必定であった。

「つまり、絶対に戻りませんからね」

何度も念を押され、若だんなは黙り込む。しかし頑固そうな表情を浮かべると、その両の目を長崎屋の方へと向け、船縁《ふなべり》をぐっと握りしめたのだ。

町から人気が消えた後、長崎屋の二階では、台所から運んできた沢山のご馳走《ちそう》を、妖達が取り囲んでいた。

鍋《なべ》ごと持ってきたのは、大根の千六本が入った味噌汁《みそしる》で、これは冷めぬ内にと、一同で早々に頂いてしまった。残念な事に玉子焼きは無かったが、野菜の煮物が大鉢にたっぷりあり、若だんなの夕餉《ゆうげ》用か、納豆を挟んで焼いたあげや、田楽《でんがく》、芋の煮転ばしなどまであった。それに糠《ぬか》の中の漬け物や、酢漬けも運んで、妖達はご機嫌だ。

更に野寺坊が、台所脇の小部屋から、酒や干し芋、煎餅《せんべい》まで見つけてきたので、二階は時ならぬ宴会の場と化していた。

「いやぁ、良い酒だ。たまには母屋で呑むのもいいのう」

野寺坊が獺や五徳猫と、お気楽に一献酌《く》み交わしていると、団子を口にした鈴彦姫が、若だんなは無事に川を上っているかなと、窓の方へ目をやる。それを見たおねが、にっと笑って豪快に湯飲みで酒をあおった。

「おや、その様子だと、鈴彦姫さんは若だんなと一緒に、行きたかったのかな?」

問われて妖は、頭に付けた鈴をしゃりりんと鳴らし、頬《ほお》を赤くする。

「若だんなの足手まといになりかねない者など、佐助さんは連れてってはくれませんよ」

とにかく長崎屋の兄や二人は、若だんなの身を守るのが、何より第一なのだ。

「ちっと、つまんないです」

それを聞いたおねが、大きく笑い出したので、鈴彦姫はぷっとふくれて団子にかぶりつく。鳴家《やなり》も菓子を欲しがる横で、おしろと小丸がおねの湯飲みに酒を注《つ》ぎ、先程の不思議な珠《たま》を見せて欲しいとねだった。

「こうも降り籠《こ》められては、暫く他に出来る事もなし。あの動く珠は何なのか、また考えてみるのも、いいんじゃないでしょうか」

頷《うなず》いたおねが懐《ふところ》から出すと、妖達は皆、その淡く光る水のような珠に目を向けた。

「きれい、きれい」

鳴家達はしきりと触りたがるが、大事なものだからと鈴彦姫に叱《しか》られ、小さな手を引っ込める。すると、その時また珠の内の筋が動いたので、皆「わっ」と声を上げた。

「気になるのう。これは何かのう」

五徳猫が酒杯を掲げつつ、やはりこの珠は、我ら妖の仲間ではないかと言い出した。

「そりゃお江戸では、珠の妖がいるという話など聞かない。だが、それこそ北の果てとか、南のその先ならば、こんな仲間がいても不思議ではないやもしれんぞ」

動くからには、生きていると思うのだ。しかしおねは徳利を手にしつつ、納得出来ない様子であった。

「この珠が付喪神なら、どうして喋《しゃべ》らないんだ？」

たとえ元はただの品物でも、百年の時を経て妖と化せば、あれこれと要らぬ事まで喋るものであった。

「それにこの珠、水晶というには、なんだか持った感じがぬるくってね」

「水晶って冷たいのかい。じゃ、違うかねえ」

蛇骨婆は考え込むと、ではもしかして何かの卵ではないかと、そう推測した。この大雨で、どこかから大事な卵が、流れ出したのではなかろうかと考えたのだ。

しかし妖達はその思いつきに、誰も首を縦に振らない。鈴彦姫が問うた。

「卵って、これ、三寸以上はありますよ。一体誰が産んだ卵なんです？」

「さあ……」

言い出した蛇骨婆当人が首を傾《かし》げたので、その考えもどうやら怪しいものとなる。山深い所には、見たこともない程大きな鳥がいるかもしれないが、珠はまん丸だから、鳥の卵としては形が妙であった。

「透き通っているし、雛《ひな》が孵《かえ》るという気はしないわな。おや、よく見ると、ほのかに光ってるではないか」

野寺坊の言葉に、五徳猫も頷く。

「ひょっとしたら、珍《めずら》かなお宝だったりして」

「きゅい、凄《すご》い、凄い」

「そいつは結構なこった。ならばその珠は、こっちがいただこうか」

「へっ？」

聞いたことも無いような、低い銅鑼声《どらごえ》がした気がして……妖達は黙り込む。それから揃《そろ》って、そろりと振り返った。

すると。

あるはずのないことが、目の前で起こっていた。誰もいないと思っていた店の二階に、手妻《てづま》のように、見たことも無い男達が現れていたのだ。男らは開いた板戸の向こうから、座って飲み食いしている妖達を見下ろしている。

窓の外では雨が、筋が目に見えるほど強く降り出していた。

5

「この辺りに、大層な珠を持ってる者が居るとかで、探してる奴《やつ》らがいたんだよ。この店を探ったのは大当たりだ。その珠はこっちが頂くさ」

そう言いにたっと笑った盗人達は、妖《あやかし》らの奇妙な風体を見て顔を顰めていたが、まさか人ならぬ者とは思いも至らぬ様で、遠慮もない。男達は皆、細い帯に長どすを突っ込んでおり、矢鱈《やたら》と目立つそれは、抜いてもいないのに剣呑《けんのん》な気を放っていた。

「さあ、その珠を寄越しな」

中の一人が、当然という顔をして手を突き出してくる。人に見えない鳴家達が、一斉に陰の内に消えた。他の妖達もそろりと身を引き、逃げ出す構えを見せる。男が珠をさっさと渡さないおねににじれ、一歩近づいた。

すると。

がきっと鈍い音がしたと思ったら、一番手前にいた男が身を折って倒れたのだ。身構える事すらしなかったのに、おねは一発の拳固《げんこ》で、男を畳の上に沈めたらしい。

「何しやがるっ」

大声と共に、仲間が長どすを抜きはなつ。だが不思議な程に、おねには余裕があった。

「鈴彦姫っ、持ってて」

おねは珠を投げると、後は苦もなく振り下ろされたどすを避け、そのまま身を回し、足で思い切り男を蹴飛《けと》ばした。「ぎへっ」奇妙な声と共に、男はぴくりとも動かなくなったから、余程の蹴りであった。

その騒ぎを聞きつけ、下から仲間が上がってくる。男らはだだっと部屋奥、おねの方へなだれ込んで行ったから、妖達は「ひえっ」と声をあげ、急いで部屋の入り口近くへと逃げる。それから、先に伸《の》された男の側に座り込むと、陰の中に消えるのも忘れ、おねの活躍に目を見張ることとなった。

「いやぁ強い。これは強い。ああ蹴った、殴った、おおおっ」

「五徳猫さん、おねさんは長崎屋の兄やさん達と、比べたいような強さだねぇ。ああ、どすをへし折っちまった。もったいない」

「本当に、三人の内誰が一等強いか、考えちまいますよ、野寺坊さん」

「獺《かわうそ》、おなごと佐助さん達を比べたりしたら、二人に煎餅にされてしまうかもしれんぞ」

酒の徳利を抱え込んだ野寺坊が、真っ当な注意を口にすると、横でおしろが笑い出す。

「じゃあ三人の内、誰が一番か賭《か》けますか？」

言われて寸の間、妖達はその気になった。しかし。

「どうやって、そいつを確かめるのかね。あ、おねさんの拳固は凄い。盗人が窓まで転がったよ。誰かが後で兄やさん達とおねさんに、真剣な勝負をしてくれと頼むのかい？」

「ぎゅい、鳴家は無理」

鳴家達は首をすくめ、畳の上で潰《つぶ》されたような格好をする。他の妖達も一斉に首を振ったその時、部屋の内でただ一人、まだ立っていた盗人が、無謀にもおねに飛びかかった。「わお」妖達が声をあげる。そしてその声が消えぬ間に、男は伸されてしまった。

「お見事！」

もう大丈夫とほっとして、皆が緊張を解く。鈴彦姫が、おねに珠を返そうと立ち上がり、一歩踏み出した。ところが。

「ひゃあっ、何？」

驚きの声と共に、その場から飛び退《の》こうとした鈴彦姫が、畳に膝《ひざ》をつく。見れば二階の入り口近くに伸びていた筈《はず》の男が、鈴彦姫の足を摑み、その身に長どすを当てていたのだ。そして、おねを睨《にら》みつけた。

「畜生め、女のくせして男を殴り飛ばすたぁ、化け物か。せっかく楽な金集めが出来るってぇ時に、とんだ奴と会っちまった」

鈴彦姫を人質に、逃げるかと思われた男は、しかし戸口近くの階段を下ろうとはしなかった。ここに至っても珠が気になるらしく、そいつを寄越せと鈴彦姫に迫ったのだ。

「鈴彦姫さん、構わないよ。あげちまいな」

おねは直《す》ぐにそう声を掛けたが、恩人の大事な珠を、鈴彦姫は簡単には手放せない。泣きそうな顔で珠を握りしめていると、男が手を伸ばし強引に奪いにかかる。

ところが。

「ぎへっ……」

突然奇妙な声をあげると、男は長どすを落とし、再び畳の上へ転がってしまったのだ。皆の目が、鈴彦姫に向かう。そしてその後ろへ視線がゆく。すると、誰もが皿のように目を見開いた。

「へっ、若だんな？」

盗人の頭に振り下ろされたのは、舟から水を搔《か》き出す時に使う、手桶《ておけ》であった。

「若だんな、どうして戻ってきたんですか？」

「驚いた、若だんなが人を伸すなんて！」

「佐助さん、栄吉さんが作った菓子でも食べましたか？　思いっきり渋い顔つきになってるけど」

とにかく若だんなが盗人《ぬすっと》に一発喰らわせるなど前代未聞と、妖達は騒ぎ立てた。こんな天気でなければ、江戸中どころか黄泉《よみ》の国にまで、よみうりが出そうだと口を揃える。

「そこまで言うかな」

若だんなは苦笑を浮かべて手桶を置き、鈴彦姫が落とした珠を拾うと、おねに返した。

「こいつは、おかたじけ。でも本当に何でまた、戻って来られたんです？」

その問いかけに口を開いたのは、眉間《みけん》に皺《しわ》を寄せた佐助であった。

「若だんなが舟から、岸にいる盗人達を見つけたのだ。そいつらが、長崎屋の方へ行くのを見てしまって」

どうしても店の様子が気になると言いだし、若だんなは譲らなかった。駄目だと言ったのに、一人でも行くと、今にも堀へ飛び込みそうだったと佐助がぼやく。櫓《ろ》を漕《こ》いでいる時は両の手がふさがれる。若だんなの着物をずっと握っている事が出来なかった佐助は、しばしの言い合いの後、仕方なく長崎屋へ戻ることにしたのだ。

「帰って、私がさっさと盗人を片付ける方が、早い気がしてな。その方が、若だんなも安心する。つまり早く避難出来る故《ゆえ》」

まさか店で、早々におねが盗人を伸しているとは、思わなかったのだ。若だんなが手桶をひっ摑《つか》んで盗人に向かう事など、佐助には考えの外であったらしい。

「若だんな、やるじゃないですか。寝てばかりのおぼっちゃまかと思ってたけど、なかなか」

ここでおねがにやりと笑うと、佐助が褒めないでくれと、思い切り怖い顔をする。

「若だんながやるべき事は、皆に心配をかけないよう、避難する事だったのだ。事を的確になせないと、良き商人にはなれぬ」

「佐助さんさぁ、若だんなはもう小さなぼっちゃまじゃ、ないでしょうが。若いんだし、人の言うことばかり聞いてたら、それこそ気持ち悪いってもんさ」

あんた、若だんなが己の言う通りにしなかったからって、ふて腐れてんじゃないわよと正面から言われ、佐助は一瞬口をへの字にした。何しろ近在の妖からも、水主達《かこ》からも、一目置かれている身であった。つけつけ文句を言う剛《ごう》の者など、とんといなかったのだ。佐助が憮然《ぶぜん》とすると、おねは更に好き勝手を言った。

「それに兄やさん、あんまりうるさい男は、おなごにもてないよぉ」

それが、手間のかかる弟を諭すような口調だったものだから、佐助がさっと顔を赤くする。

「おおっ」

兄やのそんな顔など、見たことが無かった若だんなと妖達は、揃ってどよめく。背の高い二人が正面から見合うと、なかなかに迫力で、鳴家などは早くも隅の陰に逃げ出している。暢気《のんき》な顔つきをしているのは、若だんな一人であったが、妖達は身を縮こまらせながらも、興奮した様子であった。

「これはこれは。意図せず、佐助さんとおねさんの一騎打ちを、見られるやもしれない」

「野寺坊さん、そんな事になったら、二階が壊れるんじゃないですか？」

鈴彦姫が心配げな声を出した。すると。

「きゅげげげ？」

鳴家達が急に、大きな声をあげたのだ。

「どうしたの？」

若だんなが落ち着いて問うと、何匹もの鳴家達が、階段の上がり端《はな》から階下を見下

ろしている。「降りた」その言葉を聞き、辺りを見回した所、確かに脇《わき》で転がってい
た筈の盗人がいない。

「おや、思ったより丈夫な奴だったみたいだね。隙《すき》をみて逃げたとは、立派」

おねが暢気に言った途端、佐助が急に表情を堅くし、二階から駆け下りる。直ぐに
表から、「くそっ」と、忌々《いまいま》しげな声が聞こえてきた。

「佐助、どうかしたの？」

若だんなが心配げに声を掛けると、溜息《ためいき》混じりの返答があった。

「舟を、あの盗人に盗まれたようです」

それともかさの増した水に、流されでもしたか。とにかく舟は影も形も無かった。

「ごめん、私が何としても戻るって言ったからだ。こんな事に」

もう皆の無事は確かめた故、上野まで己も歩いてゆくと言い、若だんなは急ぎ階下
へ降りる。だが長崎屋の店表へ出たところで、驚きの声と共に佐助の横に足を止めた。

「あれまあ……水が一面に」

僅《わず》かの間に、通町の道は薄く水に覆《おお》われ、流れが出来ていたのだ。まだ店には流れ
込んでいないが、雨は降り続いている故、水はこの先、深さを増してゆくと思われた。

「すごい、堀と道の区別がつかないよ」

「浅い流れに見えても、水は少しの坂で勢いを増し、僅かな低地に集まります」

いつも何の気なしに歩いている所が、思いも掛けない程の危険な場所に化けるのだと、佐助が語った。誰が作った訳でもないのに、猟場に仕掛ける罠《わな》のような箇所が、道のあちこちに出現するのだ。

「これでは……もう長崎屋を離れる訳には、いきません」

佐助は迷わず板戸と大戸を閉めると、がっちりと横木を渡した。そして、程なく一階には水が入ってくるだろうから、水瓶《みずがめ》を二階へ上げるよう、妖達に言ったのだ。

6

二階に転がっていた残りの盗人達を、妖達は端の小部屋に押し込んだ。そして開かぬよう、戸の前に畳を重ねて塞《ふさ》ぐ。

「水、ざぶざぶ」

鳴家《やなり》が二階の窓から表を眺めては、首を傾《かし》げている。水は川や堀を流れると決まっているものを、何故《なぜ》道にまで出張ってくるのか、分からないらしい。

妖達は若だんなの為《ため》と言って、台所から残っていた食べ物と水を、ありったけかき集めてきた。どうせ水に浸《つ》かれば駄目になるからと、味噌《みそ》や醤油《しょうゆ》まで全部上へ運んでくる。佐助が離れから着替えを持ってくると、若だんなは済まなそうに頭を下げた。

「本当にごめんね。上野へ行かないと、おとっつぁんが心配するよね」

「旦那《だんな》様は後で、おかみさんにたっぷり叱《しか》られますよ、きっと」

どうして若だんなから目を離したのかと、おたえは怒るに違いない。

「私もきっと、仁吉と喧嘩《けんか》になります」

「……ごめん」

皆を心配した故に戻って来たのだが、若だんなは実際には、大して役には立たなかった。手桶を使って、初めて人をぽかりと伸しはしたが、若だんながやらなくとも、きっとおねは一人で何とかしたに違いない。

結局父には心配をかけ、後の諍《いさか》いの種を産み、佐助の手間を増やしてしまった。若だんながうな垂れていると、おしろが慰め顔で、酒杯を若だんなに勧めてくる。しおしおと、大人しくしてそれを嘗《な》めていると、おねが笑いかけてきた。

「あのねぇ、来てくれて嬉《うれ》しかったよ。そいつは他の妖さん達も同じだよ、きっと」

それを聞いた鳴家達が、うんうんと若だんなの膝の上で頷《うなず》いている。鈴彦姫もにこりとして、団子を差し出してきた。

「誰だって、真剣に気に掛けて貰《もら》うってぇのは、嬉しいんだ。そいつは力になるのさ」

先刻、近在の者達が避難をするとき、表店《おもてだな》の主達《あるじ》が、一緒に行ったではないかと、おねは口にする。

「何人か大店の店主が同道しても、実際負ぶってもらえる訳じゃなし。歩くのが楽になる事は、なかろうね」

だけど。それは己達が大事に思われているという、証《あかし》なのだ。無事を願われているという、確信の元なのだ。それを頼りに皆、雨の中長い道のりを進むのだろう。きっと脱落などする者はなく、寺へと行き着ける筈だ。

「つまり若だんなも同じさ。戻ってきてくれたんで、皆も本当に安心してるよ」

「大して役に立たなくても、それでも……良いのかな？」

若だんなは一つ二つ首を傾げた後、少し元気になった気がして、おしろにもう一杯酒を注《つ》いでもらった。少しばかり頬を熱くしてから、酒杯を持って立ち上がると、若だんなは一向に降り止《や》まない雨を窓から見つめた。

「それにしてもこの雨、何時《いつ》降り止むのかしら」

今すぐ雨が止めば、まだ大した被害にならずに済む気がする。だがこれ以上水かさが増せば、事は剣呑《けんのん》になるだろう。長崎屋の周りは、店主や大家達が動いたからいいが、そういう事をして貰えなかった、堀川沿いの町もある筈であった。

病や仕事、それに立場上、家を動けなかった人とているに違いない。水が床上に上がってきたら、二階がなければ大雨の中、屋根にでも逃げるしかない。総身がずぶ濡《ぬ》れとなるから、いつまでも我慢出来るものではない。そして水は、なけなしの家財を流すし、浸かった木を腐らせる。

しかし、これが妖《あやかし》の悪さや、人が成した悪事であるならばともかく、相手が天気では、若だんなにも打つ手がなかった。

「いっそ、雨を降り止ませる祝詞《のりと》でも、探したい気分だよ」

途端、その言葉に逆らうかのように、また雨が強くなる。若だんなが苦笑を浮かべた、その時であった。外でばしゃりと水を跳ねる音がしたのだ。皆が窓から外を見ると、驚いた事に袴《はかま》をはいた男達が三人、浅い水の中を歩いていた。

「おや、他にも残っている者達がいたか」

佐助が声を上げると、若だんなの後ろから覗《のぞ》き込んだ鈴彦姫が、目を見張る。

「あたし、あの人達を見たことがあります」

おねと知り合ったあの神社で、襲われる前に一度、鈴彦姫は声を掛けられている。

あの袴姿は、その時の三人に似ているらしい。

「そういえばあの時、あたし、妙な事を言われたんです。確かそう、利根川がどうとか」

「利根川？」

「珠《たま》のことは、雨が止むまでが勝負だ、とか。急がねばならないとも言ってました」

「あの人達が、珠のことを知っている？」

そういえば先程盗人達が、珠の噂《うわさ》を誰かから聞いたと言っていた。ならばあの三人は、珠を持つおねの知り合いかもしれない。だが男らを二階から見たおねは、眉根《まゆね》を寄せ、分からないと首を振る。

「とにかくあの人達を呼んで、話を聞こう。おねさんの身元が分かるやもしれないし」

しかし佐助は、眉間に皺を寄せる。

「また、珠を盗《と》ろうとしてる盗人だったら、面倒ですよ」

「佐助、そうなったら今度こそ思い切り、暴れてもいいから」

外の三人にしたところで、そろそろ逃げねば、水の中で立ち往生しそうであった。窓から声を掛けると、男達は急ぎ長崎屋へ向かってくる。やがて土間から礼を言う声が聞こえたので、妖達の内人とは見えぬ者は、すっと陰の内に逃れた。

「やれ、せっかくの宴会が……」

若だんなが「ごめんよ」と言っている間に、頭までずぶ濡れの男達が、二階へと上がってくる。鈴彦姫が手ぬぐいを渡すと、男らは少しばかり訝《いぶか》しげな顔をして礼を言い、部屋内の一同にも頭を下げた。

「助かりました。私どもは、利根川を上流へ遡《さかのぼ》った所にあります神社の神職でして」

内の一人、宮司《ぐうじ》だという男が、こんな雨の中、外にいた訳を口にする。神職らは何と、この雨を止めに来たのだと大見得を切った。

「実は最近の大雨で社《やしろ》の裏山が崩れ、当神社の秘宝が、土砂と共に側《そば》の川へ消えてしまいまして」

それは雨の珠とも言われている代物《しろもの》で、この長雨も、その珠が神社から出てしまったからに違いないと宮司は言う。神職達は大急ぎで、珠を探しに下流へと向かったのだが、何しろ大海に落ちた小石のようなもので、とんと見つからない。

「するとそんな中、珠の噂を聞きまして。江戸川の岸で倒れていた背の高い娘御が、珠を握っていたというのです」

だがその娘は、己の事が分からなくなっていたらしく、どこへ行ったのか知れない。

神職達はその風体を頼りに、とにかく探した。そして雨の続く中、娘が通町辺りの神社にいたと耳にしたのだが、ついに水は道に溢《あふ》れ……逃げる先を探していたらしいのだ。

「だが、この店へ来たのも、神の導きかも知れません。何とこちらに、大層背の高い娘御がおられるではないですか」

宮司が、期待に満ちた目をおねに向ける。ここで若だんなが、神職達をこの場へ招いたのは、偶然では無いことを告げた。

「声を掛けたのは、御三方が珠を探しているらしいと、聞いたからです」

こちらは、全《すべ》てを忘れたおねの、身元を探っている所なのだ。

「珠を握っていたおねさんと、お三方は縁があるのでしょうか？」

おねについて何か知らぬかと問うと、神職らは一寸《ちょっと》黙り込む。三人はちらりと目を合わせた後、宮司が首を横に振った。

「いや知りませんな。おねさんがどこで珠を手に入れたか、お聞きしたい」

（……何だか、一つ間があいた返答だね）

顔をしかめた若だんなの前で、とにかく珠は神社の物だから返してくれと、神職はおねに言う。だが野寺坊や鈴彦姫、それに人に化けたおしろなど、部屋に残っていた妖達は、納得した様子を見せなかった。

「おねさんは知らないけど、珠は自分たちの物だって？　おねさんが自分のことを忘れてるからって、勝手なことを言うじゃないか」

おしろが眉を顰《ひそ》め、珠を渡すことはないと言うと、妖達が頷いている。若だんなは少しばかり考え込み、次に窓の外の雨を見た後、また部屋内に目を戻した。

「宮司、御身《おんみ》方の神社は、利根川の上流にあるのですよね？」

「そう言いましたが」

「珠はいつ、川へと流れたのですか？」

「この月の初めに」

「雨が降り出すのと、ほぼ同じ頃ですね」

頷いた宮司は、それ故《ゆえ》に雨の原因が珠だと、確信をしたと言う。すると若だんなはここで、「ですが」と言い、宮司の言葉を切った。

「利根川の上流から江戸の海近くまで、随分と離れていますよね。短い間にこの通町にまで、どうやってたどり着いたのです？　神社近くから、川沿いを順に探して歩いたら、もっとずっと時が掛かった筈《はず》では？」

おまけに一行は利根川の下流へは行かず、流れが繋《つな》がっているとはいえ、江戸川の河口へ来ている。

「何だか妙な感じです。どうも、すっきりしません」

「我らは神に仕える者だぞ。話を疑うのか」

宮司が若だんなに向け声を荒げた途端、横にいた佐助が、手でどんと床を打った。

長崎屋がぐらりと揺れ、妖らは浮き上がり、息を呑《の》んだ神職達は黙り込む。

すると、ここでおねがふっと笑い、懐《ふところ》から珠を取り出すと、皆に見せた。

「お探しの珠は、これかい？」

途端、神職らの顔に喜色が浮かぶ。

「おお、おお、それですとも。我らが神社に伝わる秘宝だ」

身を乗り出して取ろうとする手の先から、おねがさっと珠を引っ込める。そして、
こう聞いたのだ。

「それで、この珠は何なんだい？　ただの水晶とも思えない。中の筋のようなものが、
動く事は承知しているよね？」

「それは……目の迷いかと」

「おや、分かっていないんだ。じゃあお前さん方は、本当の持ち主じゃないんだろう
さ」

「い、いやその……」

言われた神職達の目が泳ぐ。三人が、またちらちらと視線を交わしているのを見て、若だんなは、ぐっと両の手を握りしめた。

(この神職方、何か知ってるみたいだ)

珠が何なのか承知しているのに、訳があって黙っている感じがした。おねが倒れていた江戸川へ真《ま》っ直《す》ぐ来たからには、おねについても、何か心得ている気がする。

(この珠は、本当に神社の秘宝なのかな)

もう一度珠へ目をやったその時、若だんなはふと感じた。

(やっぱりどこかで、似たものを見たことがあるよ。そう、こんなに大きくはなかったと思うけど)

しかも、その似たものを、何度も見ているような気がしてきたのだ。

(なのに思い出せないとは)

それは何なのか。神職達は、どうして妙な素振りをするのか。おねのことを真実知らぬのか。事ははっきりせず、ただ強い雨の音だけが、途切れずに表から聞こえていた。

7

雨が強く、強く降っていた事。

神職達が、珠を渡すよう大声を出した事。

いよいよ水が、一階の床上にまで上がってきて、見に行った妖らが騒いでいた事。

あれこれ重なって、二階では小さな物音など、誰も耳にしてはいなかった。よって気がついた時には、小部屋に押し込んでいた筈の男の一人が、そろりとおねの後ろから手を伸ばし、珠を摑《つか》んでいたのだ。

「ぬ、盗人《ぬすっと》っ」

おねが叫ぶと同時に、盗人は珠を、仲間へと投げていた。皆が珠へ目を向けた隙《すき》に、己は逃げる算段であったに違いない。

ところが。宙に浮いた珠へ、天井から鳴家《やなり》が飛びついたものだから、鳴家と珠は途中で急に、下へ落ちる事となった。神職が真っ先に手を伸ばしたが、触られるのを嫌った鳴家が嚙《か》みつく。小鬼の姿が見えない神職は、熱い火箸《ひばし》でも触ったかのように、慌《あわ》てて手を引っ込めた。ぽんと畳の上に落ちた珠を鳴家がひろい、その小鬼を、若だんなが拾う。

　すると。

「あれっ……これだよ！」

　鳴家が抱えた珠と、鳴家の目は、大小の差はあれど、そっくりであったのだ。

「これは鬼の目だったのか。見たことがあったはずだ」

　だが若だんなが「でも」と小声で付け足した。そして皆がその先を聞こうとしている間に、盗人らは階下へ逃れたのだ。しかし、思いもかけない程深くなっていた水の内でひっくり返り、店表で悲鳴を上げた。

「やれ、情けのない奴《やつ》だな。助けるのは面倒くさい。構わないから、このまま逃げてくれ」

　二階から佐助にそう言われたものの、盗人らは外に出る事も出来ず、膝上《ひざうえ》まであった水の内で立ちすくんでいた。表にはもっと深い流れが待っている。やがて自ら二階の小部屋に戻ると言いだし、妖達に来るなと上から言われ、半泣きになってしまった。

　ここで若だんなが、おねの方を向く。

「この珠は、鬼の目に似ています。でも黄泉《よみ》の国の赤鬼でも、ここまで大きな目など持ってはいなかった」

ならば、この目は誰のものなのか。雨と関わりが有ると、思われる目。鬼とそっくりな、大きな目だ。

するとその時、思わぬ方から返答があった。何と妖達が、誰もが当然知っている事だと言わんばかりに、答えを口にしたのだ。

「角は鹿《しか》です」「頭は駱駝《らくだ》だとか聞きますな」「その身は大蛇と似て」「背中の鱗《うろこ》は鯉《こい》」「腹の所は蛟《みずち》」「爪《つめ》は鷹《たか》らしいです」「掌《てのひら》は虎《とら》だとか」「耳は牛に似てると言います」「そして、眼は鬼！」

それを持つ者の名は。ここまで言われ、若だんなにもようよう分かった。

「鬼の目を持つものは……龍《りゅう》か！」

干ばつを招くといい、雨を降らせるともいう。嵐《あらし》を呼び雷《いかずち》を打ち鳴らす。また、天に飛翔《ひしょう》するとも言われ、水の神として信仰されるものであった。

「つまり、時ならぬこの雨を降らせているのは、龍神なんだ！」

そう言ってから手の中の珠を見ると、大雨の訳が、分かるような気がしてくる。おねがどうやって珠を手にしたのか、今は当人にすら謎《なぞ》だが、とにかくおねよりも神職達よりも、珠の主と名乗るべき者は、天にいたのだ。

「龍が己の目を探して、雨雲と共に天から降りてきているんだ」

それで、打ち付ける程の雨が降っているのに違いない。

「この珠は、主へと返さねばなりません」

雨に止《や》んで貰《もら》いたいから。そして珠が目であるのなら、当然元の眼窩《がんか》に戻る為《ため》に。

「おねさんも、いいですね？」

若だんなが尋ねると、おねはにっと笑った。

「駄目だと言ったら、あたしに返してくれるのかい？」

「……いいえ」

「あたしが困ると、そう言ってもかい？　身元が分からなくなる。戻してくれって」

若だんなは真っ直ぐおねを見た。それから表へ目をやった後、おねへ深く頭を下げる。

「返せと言われたら、恐ろしくも無謀にも、おねさんと喧嘩《けんか》することになります」

「敵《かな》うはずなくてもかい？　いいねえ、男だよ、若だんな」

思い切り楽しそうに言うと、おねはひょいと身を起こし、若だんなの前に立つと、神職達の方を向いた。そして若だんなを肩越しに見て、きっぱりと言ったのだ。

「さっさと珠を、空の水神へ返しちまいな。この天気に、けりをつけて貰おうさ」

「馬鹿《ばか》を言うな。それは先の宮司が川にて見つけたものだ。我ら神社の宝だぞ」

伸ばしてきた神職らの手を、おねと佐助が払いのける。

「どういう経緯《いきさつ》で、珠が神社へ収まったのかはどうでもいいさ。天かける者の目を、お宝などと言うんじゃない。己の目を持って行かれたら、何とする気だい」

ああ、人は強突《ごうつく》だよと言うおねの声を聞きつつ、若だんなは窓へと駆け寄った。そして腕を外に突き出すと、手と珠に大粒の雨を受ける。叫んだ。

「水神、目はここに！」

龍神は聞くだろうか。いや、そもそも本当に、この珠は龍の目で、大雨はその到来を告げていたのか。

(真実は分からない。確信はない)

それでも珠を雨にさらし、天に問うしかなかった。見れば表は更に深い池と化している。向かいの店の、戸の半ば近くまで水が来ているから、もう大人でも歩けないに違いない。

(駄目か？　では通町は、水に沈んでしまう)

雨雲は一層低く垂れ込め、霧のような雲の先が見える気がした。神職達が背後で、おねや佐助達と揉《も》めている。

(このやり方では駄目か……？)

この時若だんなの腕へ、鳴家が一匹乗ってきて、外を覗《のぞ》き込む。途端。

「ひあっ……！」

若だんなが思わず窓から、身を引いた。窓枠一杯に、巨大な鬼の目が現れたのだ。水の珠のように透明で光り、筋のような黒目のある目。鳴家が腕から転げ落ちる。若だんなは寸の間動けなくなって、総身《そうみ》を強《こわ》ばらせた。震える手から、珠がするりと落ちていく。

「あ……」

一瞬光った後、珠は窓の端から外に消え、もう行方も分からない。既に巨大な目が幻のように消えていた。夢か見間違いか、気の迷いだとでも言うように、跡形もない。

背中から、神職達のわめき声が聞こえてくる。

「今のは幻？　それとも……」

若だんなが窓へ駆け寄る。その時であった。

轟音《ごうおん》が一帯を裂いたのだ。辺りは真っ白な光に包まれた。部屋が浮き上がり揺らぎ、畳が崩れ落ち、悲鳴が重なる。音に身を打たれ、若だんなは後ろにいた佐助の腕の内に倒れ込んだ。

「ぎゅぴゃー……」

頭の中でわんわんと、音が鳴り響いている。目を開けた時、情けの無い声の方を見ると、数多《あまた》の鳴家達が天井から、おねの上に落っこちていた。何しろ数が多いし、小さいが角も生えている。だから、小鬼でしたたか身を打ったらしいおねは、頭を抱えていた。きっと痛いからと、小鬼達をはね飛ばす事など、出来なかったのだろう。

「今のは……本当に龍だったのかしら」

若だんながつぶやくと、佐助が窓から身を出し、辺りを見てくれた。しかし。

「龍も珠も、見あたりませんね。水に落ちたか、それとも……」

するとそこに、突然おねの含み笑いが聞こえた。見ればまだ頭を抱えつつ、しかし時々笑いながら外を指さしている。

「今のは龍だった。間違いないよ。目の主が、己のものを持って行ったのさ。ごらんな、少しばかり空が明るい」

言われてみれば、まだ雨は続いているものの、先程よりは降りが弱くなった気がする。おねはくいと口の端を引き上げ、座り込んでいる神職達へ目を向けた。

「龍の目が人の元にあると聞いて、あたしは随分前から龍神に返すようにと、神社へ言ってたよね？」

雨が酷《ひど》くなったからだ。利根川は度々水害にあい、おねは困っていたのだ。水の神が怒っている……というより、周りに構わず大事な目を探し回っているのに、違いなかった。

「だが人ってぇのは強突というか、宮司達は神社の宝だと言い張って、返しゃしない」

だから己が強引に神社から拝借したと、おねがしゃあしゃあと言い出した。その様子を見て、神職達が溜息《ためいき》をつく。

「これはこれは。今の雷で、正気を取り戻したようだの。御身は珠を盗んだものの、その力に引きずられた。こともあろうに溺《おぼ》れかけ、己が誰かも忘れていたらしいのに」

おねが珠と共に消えた時、龍が江戸川の方へ飛んで行ったという噂《うわさ》があった。それで神職達は利根川でなく、江戸川を探したのだ。

「ああ皆、思い出したさ。あたしの名は、〝おね〟じゃなくて〝ねね〟だった。いや〝ねねこ〟、利根川の〝禰々子《ねねこ》〟だったよ」

「利根川の禰々子？　禰々子河童《かっぱ》か！」

驚きの声を上げたのは佐助で、おしろや五徳猫なども、「ほう」と言いつつ禰々子を見つめている。若だんなと他の妖《あやかし》達が、きょとんとした表情を浮かべたので、佐助が子細を教えてくれた。

「禰々子殿といわれるのは、関八州《かんはっしゅう》にその名を知られた、河童の大親分であられる」

何しろ、飛び抜けて強いことで知られていると佐助が言うと、禰々子がにっと笑った。

「あたしは、利根川に静まって欲しかっただけだよ」

川沿いの者達の難儀より、神社のお宝が大事だという神職達の意向など、知ったことではないと、禰々子はきっぱりと言ったのだ。

「まだ珠が欲しいと言うんなら、空におわす水神から、奪うんだね」

言われた神職達が、溜息を重ね首を振る。

(ああ龍に戻されたら、盗《と》れないんだ。だから雨があがるまでの、勝負と言ったのか)

若だんなが頷《うなず》くと、またぐっと雨が細くなってきた。

「この分だと、いくらもしない内に雨は止むかねぇ。上流にもたんと降っただろうから、水は暫《しばら》く引かないだろうけど」

それでも一日二日もすれば、町中が池のようなこの様子は、無くなるだろうと禰々子は言う。若だんなはほっと、大きく息を吐いた。

「良かった。後でおとっつぁんに叱《しか》られても、残って良かったって、これで思えます」

無茶をしたが、鬼の目の事を思いつく事が出来た。若だんなには若だんなの、役目があったのだと思う。禰々子は頷くと、やれ良かったと笑う。そしてもう、やり残した事はなし、利根川へ帰ろうかと言い、立ち上がったのだ。

「でもあの、まだ周りは水だらけですよ」

鈴彦姫が心配げに、着物の袖《そで》を引いて止める。すると、禰々子が大きく笑い出した。

「あのねえ、あたしは禰々子。利根川の河童なんだよ」

龍の目に引きずられ、川に飲み込まれるという失態を見せたが、水は禰々子が日々暮らす場所なのだ。帰るのならば水が溢《あふ》れている今の方が、余程楽であった。

「禰々子河童、利根川で余り暴れなさるな」

神職達が、去ろうとする禰々子に声を掛ける。禰々子は「ふんっ」と言葉を返した。

「そっちこそ、日頃偉そうにしてるんなら、もうちっと大人になんな」

窓から水に飛び込もうとし、ふと動きを止める。そして禰々子は佐助に、着ている着物を借りてゆくと、ことわった。

「それくらい差し上げる。気にするな」

「ふぅん、ならば借りるとしよう。そうさね、佐助さんが、白沢である仁吉さんとやらと喧嘩になったら、この禰々子河童が加勢する事にするよ。そう伝えておくんな」

「えっ？　いやその、そんな必要は……」

「遠慮はいらないよ。着物の礼さ」

「大丈夫だ。喧嘩くらい己で出来る！」

佐助が憮然《ぶぜん》としているので、若だんなが首を傾《かし》げた。何だか……いつもの佐助と、ちょいと違うような、そんな気もしたのだ。すると禰々子が、からかうように言う。

「おやぁ、大男が照れてるよ。こういうのは、存外かわいいもんだね」

「かっ、かわいい！」

どっと部屋の中の妖達が沸き立ち、禰々子は笑って水の中へと消える。「かわいい佐助さん」「照れてる佐助さん」「大丈夫だってー」「あれ、顔が赤いっ」はやす声が大きくなった途端、いきなり佐助が床を拳《こぶし》で叩《たた》いたものだから、また家がぐらりと揺れる。だが今日の妖達は、何故《なぜ》だかとんと黙らなかった。若だんなもつい、目をきらりとさせて、兄やを見てしまう。

雨は、ようよう止み始めていた。

始まりの日

序

若だんなの兄、松之助《まつのすけ》とお咲《さき》夫婦の一子、松太郎《まったろう》が四つになった時の事。

江戸は通町《とおりちょう》、長崎屋《ながさきや》の若だんなは、大事な付喪神《つくもがみ》の友、屏風《びょうぶ》のぞきを救いたくて、神仏のごとき力を持つと噂《うわさ》の、鹿島《かしま》の事触《ことふ》れと会った。

しかし……友は救えなかった。

松太郎が三つの頃、若だんなの友である唐物屋《からものや》小乃屋《おのや》の七之助《しちのすけ》に、縁談があった。その縁で若だんなは、近江《おうみ》にある奈倉屋《なくらや》の娘、かなめと出会うこととなった。

大層かわいい娘で、若だんなは先々江戸へ来る気持ちはないかと、そう尋ねたのだ。

その時、返答は貰《もら》えなかった。

松太郎がまだ二つの時、若だんなは生まれて初めて、花の名所、飛鳥山《あすかやま》で花見をした。そこで若だんなは、以前己《おのれ》の目の光を持って行ってしまった神、生目神《いきめがみ》と再び出会った。

一年前、若だんなの甥《おい》である松太郎が生まれて、二月《ふたつき》程経《た》った頃のこと、お江戸では、天の底が抜けたかと思う程に、雨の日が続いた。その時若だんなと長崎屋の妖《あやかし》は、利根川の禰々子《ねねこ》河童《かっぱ》を知った。

そしてその出会いより、さらに十月《とつき》程さかのぼった、ある日。

長崎屋より分家した兄、松之助の妻お咲に、子が出来たと知らせがあった。翌年には叔父になると知り喜んだ若だんなは、祝いを持って兄の店へ向かったのだ。

珍しくも歩いて行ったものだから、若だんなは今まで知らなかった、小さなお社《やしろ》を見つける事になった。お社の前で、並ではないお人を目にした若だんなは、その姿を追ったのだ。道は少し先で弓手《ゆんで》と馬手《めて》、二手に分かれていた。

その時まで若だんなは左、つまり弓手へと行くつもりであったのに、歩む道を変えた。並ではないお人が駆けていった方へ、つまり馬手、右へと歩んでいったのだ。

そして、行く筈《はず》では無かった明日へと、突き進んでしまった。

江戸には町人、武家を合わせ、百万程の人々が住んでいるという。だが日《ひ》の本《もと》には、それを上回る、数多《あまた》の神がおわした。なんと、八百万《やおよろず》もおられるのであった。勿論《もちろん》神は、蝦夷《えぞ》から九州の果てまで、江戸以外の国にも数多おられるはずだ。しかしその分を差し引いても、総勢で八百万もいらっしゃるのだから、江戸にも恐ろしく沢山の神々が、おいでになると考えられる。

そして若だんなは、かくも数多な神々の中で生きるということを、その身で知ることとなった。

1

お江戸は通町から、日本橋へと続く道の途中、小さなお社の前に常ならぬ姿があり、ゆったりと歩を進めていた。

日中であったから、道には数多の者達が行き交っていたが、並とは違うその姿を訝《いぶか》しむ者はいない。お社の前の御仁《ごじん》も、暢気《のんき》な様子であった。

ところが。

「痛っ」

いきなりぽかりと拳固《げんこ》が降ってきたものだから、お社の御仁は、思い切り驚いた様子で顔を背の方へ向ける。すると久方ぶりに見るお顔が、そこで渋い表情を浮かべていたのだ。

「これはこれは、生目神様ではありませんか。あら随分と、乱暴な現れ方でございますね」

痛いですよ……多分、と文句を言いつつ、それでものんびりした様子を変えない姿に、生目神が溜息《ためいき》を漏らす。

「市杵嶋比売命《いちきしまひめのみこと》、日中から人の行き交う往来を歩いて、何をしているのだ」

「いえ、皆が忙しく商っている様子を、眺めておりました」

そう言って笑った比売神は、黒々とした髪を後ろに垂らし、古風な着物を着た手に、しっかりと琵琶《びわ》を抱いている。小さな祠《ほこら》の主は、商人を守護する市神《いちがみ》の一人であった。神であれば、人に見られる事はまず無い。よって江戸でも賑《にぎ》やかな一帯が繁盛《はんじょう》している様子を見物して、こっそり楽しんでいたらしい。

しかし生目神は、眉間《みけん》に皺《しわ》を寄せている。

「御身《おんみ》は、春夏秋冬を数多過ごしてきた者であろう。なのに、まだ神たる心構えが薄い」

突然そんなことを言われ、比売神は琵琶を持ったまま、しばしの間考え続ける。それから小さく首を傾《かし》げ、比売神は生目神に助けを求めた。

「御身様がそう言われるなら、我はなんぞ手抜かりをしてしまったのでしょう。ですがとんと、心当たりがございません」

「おお、それはそうさな。何故《なぜ》ならこれから、その〝てぬかり〟をしでかすのだから」

「我はこの後、間違いをするとおっしゃるのですか」

比売神は寸《すん》の間《ま》目を見開いてから、ちょっと唇を尖《とが》らせる。それから生目神に、一体どこからおいでになったのかと、真面目《まじめ》に問うたのだ。

すると眼前の神は、優しいような怖いような、神が神たる身であることを示す笑みを、ふわりと浮かべた。

「そうさな、何年か後にも、この町は賑やかであったよ」

年が過ぎる間に、通町には様々な人達がやって来て出会い、別れていった。桜が咲き、花びら達はその短い営みを終えて散った。

「そういえばこの町、珍しくも溢《あふ》れた水に浸《つ》かってしまっておったな」

「まあ、水害が……」

そうつぶやいた比売神は、何時《いつ》になく厳しい表情を浮かべ、目の前にいる生目神を見た。神であれば何年か位なら、時の向こうへ足を運べるものかもしれない。だが比売神は今日より先を、見たことはなかった。

それは昨日から明日へ綿々と続く時の流れを、高天原《たかまのはら》の至上神《しじょうしん》の意向を、曲げることになりはしないかと思われるからだ。比売神がそう口にした所、不思議な事に生目神は大きく頷《うなず》いた。

「至上神の神意も問わず、神が勝手に時を駆けたり、行く先を曲げてはならぬだろうさ」

数多いる神が己の好きにしては、人達が時を歩んでゆくのに困ってしまう。かけ離れた事を成せる身として、神はその事を、しっかり承知しておらねばならない。

「つまり神は、間抜けをする事など許されぬ」

そう言うと、生目神がじっと見つめてきたものだから、市杵嶋比売命は僅《わず》かに不安げな表情を浮かべる。それから両の眉尻《まゆじり》を下げると、小さな声で目の前の神に問うた。

「……私が、そんな大事をしでかすと？」

「そうさな。有り体に言うと、丁度これからやってしまうところである、な」

何故ならと言い、生目神は来《こ》し方の道へ、ちらと目をやる。この世の中には妖を祖母に持って生まれて来た、などという者がいて、ただの人であれば目にすることもない妖を目に出来たりするのだ。

そしてそういう者の一人である長崎屋の若だんなは、己達神をも目にしてしまうことがあった。

「あの若だんなは、私のことを並の人と同じように、目にする事が出来ていた。比売神が目の前にいれば、やはり見たに違いないな」

そして若だんなは比売神の姿を追い、時から外れて、弓手へと進むべき道を馬手へと向かったのだ。

あるべき時、今日が、明日が変わっていった……。

「まあっ、どうしましょう」

吃驚《びっくり》した比売神が、泣きそうな顔となった。しかし生目神はその先を言わず、さっと背の方へ目を向ける。そして、急ぎ比売神の手を取った。

「おお、早、時が追いついてきた。もう、かの者の姿が見える。急がねば」

そう言うなり二柱の神は、急ぎ社の内へと身を隠したのだ。

その時大通りの向こうから、珍しくも道を歩いてくる姿があった。

若だんなは兄《にい》や達二人と、松之助の店へ向かっていた。お咲に子が出来たと聞いたので、祝いの品を届ける事にしたのだ。

大八車《だいはちぐるま》を避け、脇《わき》の道へ逸《そ》れた時、若だんなは少し目を見開くこととなる。道が二《ふた》股《また》に分かれている場所の少し手前で、見慣れぬものを見つけたからだ。

「ねえ兄や、あんな所に小さな祠があるよ。長崎屋から遠くもない場所に、私が行ったことのない社があったんだね」

何しろ若だんなは病快癒の祈願をするため、寺社へよくお参りに行く。だから近くのお社ならば、大概は承知していた。

「どちらの神様かしらね」

お社を見ていると、今日たまたま道一本逸れここへ来たのは、ご縁があったからだという気がしてくる。袖《そで》の内で鳴家《やなり》達が、「くるくる」という機嫌の良い声をあげ頷《うなず》いた。

「お参りしていこう。それから先に見える分かれ道を左へ行けば、青玉屋《あおだまや》へ行けるよね」

だが、先刻仁吉《にきち》が買った飴玉《あめだま》の袋を受け取ると、若だんなはふと首を傾げた。

「ねえ仁吉、佐助《さすけ》。あそこに、どなたかおわす……」

言いかけて言葉を切る。それから目を手でこすり、もう一度道を見てみた。しかし今し方何か……いや誰かいたように見えた所には、花びらしか落ちていなかった。

「あれ？　目の迷いかしら」

「きゅんわ？」

何故だか腑《ふ》に落ちなくて、若だんなは小さな祠の前へ歩んでゆく。その場でしばし首を捻《ひね》っていると、鳴家達が袖内できゅわきゅわと鳴き出した。疲れているようなので駕籠《かご》を拾おうと仁吉が言い出したので、若だんなは慌《あわ》ててお参りを済ませ、先へ歩み出す。

すると。

「え……？」

一瞬足元を舞った花びらが、桜のひとひらのように見えたのだ。その花の向こうに、何故だか桜の海と生目神の姿があるような気がして、若だんなは立ちすくんでしまった。

（あれ？　今は桜の季節じゃないのに）

どうして突然、そんなものが見えた気になったのだろうか。桜の前に立っていたのが神であるお方だったからか、そのお顔が、笑っているようにも思えた。

（さて、これからどうなるであろうな）

何かが変わるか、いや、そのままか。何故だか、神がつぶやくそんな言葉さえ聞こえた気がした。

（えっ？　私は沢山の桜の下で、花見などしたことは無い……筈なのに）

若だんなは、ぎゅっと目を瞑《つむ》ってから、もう一度周りを見る。桜も神の姿も、勿論眼前には無かった。

「どうしました、若だんな。足でも痛みますか？」

「う、ううん、大丈夫」

佐助へ返事をして、若だんなはまた歩き出す。弓手へ。最初から行くつもりであった左の道へ。

少し歩いてから、何か不思議な事でもあったような気がして、若だんなは少し首を傾げた。

するとその時急に、先を急がねばならないような気がしてきたのだ。袖の内の鳴家達も、落ち着きがない。何かを思い出しそうで、しかし一つとして分かることは無かった。

（私ったら、どうしたっていうんだろう）

心が騒ぐ。目の前に見えている町の光景が、奇妙にぼやけ、心許《こころもと》なく思えてくる。理由など分からない。それでも、一切がおかしい気がして、落ち着かなかった。

だが。

何歩か歩んでゆくと、不思議と不安が消えていく。じき、何事もなかったかのように若だんなは兄や達と、来年生まれてくる赤子の話を始め、青玉屋へと向かった。

「きょんいーっ」

鳴家達が鳴き声をあげる。賑やかな町には、穏やかな時が過ぎてゆく。とても平穏な、そんな日であった。

2

ところが、若だんな達はそのまま何も無く、青玉屋へ行き着くことが出来なかった。もう少しで店が見えてくるというところで、後ろから走ってきた四十ほどの男が、若だんなにぶつかったのだ。

「きょんぴっ」

若だんなが鳴家と共によろけ、佐助が咄嗟《とっさ》に手を差し伸べる。するとその男に、更に若い男が突進してきて、騒ぎが起こった。

「お願いだ、お願いだ、このとおり。もう一度引き受けておくんなっ」

後から来た男が、四十男に縋《すが》り付く。すぐに男は振り払われたが、もう一度手を伸ばしたものだから、仁吉の腕に突き当たってしまった。持っていた大福が、通りに転がり落ちる。

「あっ、土産が」

若だんなが声をあげた途端、友の栄吉《えいきち》が丹精した菓子は、食べられることもなく通りかかった振り売りに踏まれ、潰《つぶ》れてしまった。

「ひえっ」若だんなが、菓子の成れの果てを見て呆然《ぼうぜん》と立ちすくむ。しかし、怒った兄や達が、四十男らを捕まえ、つるし上げたものだから、若だんなは慌てて二人を止める事になった。

「仁吉、佐助、お止《よ》しな。私は怪我《けが》など、しちゃいないから」

「当たり前ですよ。もしこいつらが、そんな悪事をしたなら、今頃武蔵《むさし》の国から出るほど遠くへ、投げ飛ばしてます」

人のなりはしているが、二人の本性は、白沢《はくたく》、犬神《いぬがみ》という人ならぬものなのだ。若だんなの祖母おぎんが、皮衣《かわごろも》という名の大妖《たいよう》である故《ゆえ》に、若だんなの側《そば》には、妖達《あやかし》が数多《あまた》姿を現していた。

兄や達は共に、並な力の持ち主ではないから、放っておくと怒りに任せ、江戸中で噂《うわさ》となるような大事をしでかしかねない。しかし若だんな一人で、怒った妖二人を一遍に止めるのは、至難の業であった。

困った若だんながが唇をかみしめると、小さく切れて血が滲《にじ》み出る。すると兄や達は男らを放り出し、大事な若だんなへと駆け寄った。

「血が出るなんて！　とんでもない事になりました。若だんな、源信《げんしん》先生に直《す》ぐ来て頂きましょう」

「唇を切った位で、お医者様は要らないよ。呼んだら、長崎屋の息子は甘やかされてるって、また通町中で噂になってしまう」

大福のことは残念だったが、仕方がない。早く青玉屋へ行こうと促すと、兄や達は男らへ不機嫌な目を向け、渋々頷いた。若だんなはほっとして歩き出したが、何故だか急に後ろへ引っ張られ、止まってしまう。

「あれ？」

首を巡らせると、先程ぶつかってきた四十男が目を輝かせ、若だんなの腰に吊《つる》した印籠《いんろう》を握っていたのだ。

「こんりゃ、こりゃこりゃ、大層な幸運だ。なあ、あんた、長崎屋の息子さんかい？　通町にあって、廻船問屋《かいせんどんや》と薬種《やくしゅ》問屋を兼ねている、あの大店《おおだな》の」

「おいこら、若だんなの持ち物に、手を出すんじゃない！」

佐助が怖い表情を浮かべたが、男は気が強いのか、その迫力ある顔を見ても引かない。そして印籠を離すと立ち上がり、愛想の良い表情を若だんなに向けた。

「あたしは勝兵衛《かつべえ》、八津屋《やづや》勝兵衛って言います」

男は己のことを〝時売り屋〟だと言った。

「時売り屋……ですか？」

聞き慣れぬ言葉に、若だんなはつい問い返す。八津屋はぐっと機嫌を良くして、己の商売の説明にかかった。

「時売り屋ってぇのは、あたしが考え出した商いでね。要するに、人が望む〝時〟を売り買いして、それに対価をもらう商売ですよ」

「望む時を……売ったり買ったり？」

依然としてよく分からない若だんなが首を傾げる。するとその時、今し方揉《も》めていた相手が、八津屋に紙入れを突き出してきたのだ。

「だから八津屋さん、わっちは客なんだって。もう一度、あと一回きりでいいから、また〝時〟を買わせておくんな」

その男は随分とみすぼらしい格好であったが、これでも若手の絵師なのだと、八津屋は困ったように言った。

「このお人は先だって、弟子を取らない事で知られる、高名な老絵師さんのところに、弟子入りしてましてね」

つまり老絵師の〝高弟〟という立場を、しばしの間、時売り屋から買っていたのだ。

「あれま、弟子の身分て買えるんですか」

驚いた若だんなが問うと、八津屋がにっと笑った。そういう普段は決して手に入れることの出来ない時を扱うのが、時売りという商いの醍醐味《だいごみ》だと言う。

「その老絵師さんは、そりゃ頑固でしてね。気に入らなきゃあ、注文を受けないなんてことも多いお人で」

よって八津屋は、絵師から、老絵師の弟子になりたいと注文を受けた時、やりようがあろうと考えたのだ。そしてしばしの間、好きな仕事のみを出来る程の金子《きんす》を渡し、勝兵衛は老絵師から〝高弟を側に置く〟という時を買った。

「時売り屋は客から望みを聞き、注文通りの時を用意できたら、約束の金の、半金を受け取るんです」

そして後の半金はあずかった金の内から手数料を払って、知り合いの両替商に預けておく約束だ。客が満足な時を過ごしたら、八津屋は残金を貰《もら》うのだ。

「結構高いが、値はあらかじめ客と話し合って決める。だから依頼は多いですよ」

大抵の者は、ずっと渇望していた、願った通りの時を手に入れ喜ぶ。目の前の絵師だとて、老絵師の技を側で見る事が出来、それは充実した毎日を送れたのだ。するとその言葉に、当の絵師が頷いた。

「老先生は、炎を描く絵師と呼ばれておいでで、本当に凄《すご》いお方だ。先の大火の時など、火が迫ってくるのも構わず、近くで絵を描いていたんだとか」

絵師はその話を、熱っぽく語る。火の絵を描く様子を、また間近で見たい。己もあんな炎が描けるようになりたい。そう思い詰め、着ている着物まで売って再び金子をかき集めると、絵師はまた八津屋へ向ったのだ。

しかし。

「言っただろう、うちは、同じ時は二度売らない。これだけは決めてるんだよ」

「どうしてだ、ちゃんと金子は作った」

老絵師は己の事を、気に入った様子だったのに。絵師がそう言って八津屋に迫った時、不意に兄や達がそれを押しとどめ、若だんなの方を見た。そして戸惑う二人をよそに勝兵衛が金子を受け取らぬ理由が分かりますかと、聞いてきたのだ。

「あれま、こんな時に商売の修業かい？」

お二人に迷惑だよと言いつつも、若だんなは腕を組み、考え始める。じき、にこりとして答えを口にした。

「多分……何度も同じ時を買っていると、その毎日に、慣れてしまうからじゃないかな」

購《あがな》った日々が良きものであればあるほど、それが本来あるべき姿だと、つい思ってしまう気がする。それが〝商品〟だという考えを、受け入れられなくなる。ずっと老絵師の高弟として側に居ることが、どうして出来ないのかと、考えてしまうだろう。

「買った〝時〟に、囚《とら》われるというか」

すると、その答えを聞いた八津屋が小さく頷き、絵師を見た。

「老先生は、お前さんが嫌いな訳じゃないだろう。だが普段は本当に、人を側に寄せ付けないお人なんだよ」

先だっては、次の絵を描くにも困るような懐《ふところ》具合であったから、渋々八津屋の話を受けたのだ。金で引き受けた弟子故、接する態度もきつくなかったに違いない。しかし平素であれば、そうはいかなかっただろう。

「つまり、あんたが望む優しい先生も、高弟という立場も、そもそも、有りはしないものなんだ」

だから諦《あきら》めてくれと八津屋に言われ、絵師は道端に座り込んでしまった。佐助が腕組みをし、息を吐く。

「本当に、変わった商いがあるもんだ」

話が途切れたのを機に、もう十分と言わんばかりに兄や達は若だんなに先を促し歩き出す。すると、八津屋は慌てて後を追ってきた。

「そう気の短いこっちゃ、商いが出来ないよ。話はまだ途中だ」

「こちらには別の用がある。あんたに会いに来た訳じゃ、ないんでね」

仁吉がにべもない言葉を口にすると、八津屋は顔を強《こわ》ばらせる。そして、あれこれ説明したかったのにと文句を言ってから、それはすっ飛ばす事にしたようで、いきなり思いがけない提案を、若だんなにしてきたのだ。

「なあ長崎屋さん、時売り屋ってえのがどんなものか、もう分かったよね？」

それで実は、長崎屋へ頼みたいことがあると、言い出した。つまり八津屋は、長崎屋から買いたい時があるのだ。しかし、若だんな達の足は止まらない。

「うちには、絵師はいませんよ」

「何も弟子入りだけが、人の望みじゃないさ」

かつて、武士になりたい男がいた。ある武家の一員としての時を買い、二月程、刀を差していた。大店の箱入り娘という立場を望んだ娘とも、商いをした。死んだはずの孫に会いたいと乞《こ》われ、役者に孫役をお願いした事もある。一回でいい、芝居の主役をやりたいと言われ、宮地《みやち》芝居の座長の時を買いもした。

「何になりたいかは、人それぞれだ。そうだろう？」

だがそう言われても、長崎屋のどんな時が欲しいのか、若だんなには想像がつかない。

「大店の店主にでも、なりたいお人がいるんですか？」

だが幾ら金を積まれても、父藤兵衛《とうべえ》が他人を、店の主《あるじ》に据えるとは思えない。第一そんなことをしては、長崎屋が傾いてしまう。

すると八津屋は、若だんなの考えを見抜いたかのように、小さく首を振った。なに、端《はな》から無理だと思えるような事では、無いのだという。

「実は今回買いたいのは、〝大店の一員として過ごす日々〟でして」

つまり長崎屋の縁者となり、しばしの日々を店で過ごしたいと、そう言うのだ。

「親戚《しんせき》？」

「勿論《もちろん》店に入った途端、中にある金子や品物を我がものにしようなどと、考えている訳じゃありませんよ」

ただ、本当の親戚のように過ごしたい。それだけなのだ。長屋とは全く違う贅沢《ぜいたく》な部屋で暮らし、毎日美味《おい》しいものを食べたい。沢山の女中や下男、奉公人達から、主筋の者として丁重に扱われたい。町内で長崎屋の身内と紹介され、吉原に行ったら、大切な客として扱われればと、そう言うのだ。

ちょいと金子を貯めた位では、とうてい味わえない、真に贅沢な毎日。それを期限付きで良いから、買いたい者がいるのだ。

「どうですかな。結構良き値を、付けさせて頂きますが」

八津屋はごく真剣な口調で、若だんなに提案してきた。

3

青玉屋から帰って、三日程の後。

若だんなが離れで屏風《びょうぶ》のぞきと碁を打っていると、珍しくも店奥の間へ来るようにと、母屋《おもや》から小僧が呼びに来た。若だんなが顔を出すと、驚いたことに、そこにはいつぞやの男が座っていたのだ。

「あれ、八津屋さん、でしたよね」

時売り屋と名乗っていた男は、今日は番頭を連れており、百年の知己《ちき》であるかのような笑みを、若だんなに向けてくる。そして、長崎屋の時を売って欲しいという、先だっての話をしに来たと、また口にしたのだ。

「その話はあのとき、きちんとお断りした筈《はず》ですが」

「そりゃ、若だんなには断られました。ですがご主人にはまだ、話していませんので」

八津屋が現れたと知ってか、茶を運んで来たのは佐助で、懲《こ》りない八津屋の言葉を聞き、表情を険しくしている。八津屋ときたらその佐助に、またお会いしましたねぇと、明るく話しかけたものだから、若だんなの袖内《そでうち》にいる鳴家《やなり》達が怯《おび》えたように、「きゅげ」と小さな声で鳴いた。

するとここで藤兵衛が、若だんなが熱も無さそうで、気分も良いようなのを目で確かめてから、優しく問うてくる。

「八津屋さんが、〝長崎屋の一員になる〟という時を、買いたいと言われた話、一太《いちた》郎《ろう》も聞いているね？」

さて、珍しい商いもあるものであった。

「一太郎、でも私は珍しいだけでなく、ちょいと妙な話だと思ったんだよ」

何故《なぜ》なら長崎屋は大店ではあるが、江戸で一、二を争うほどの金持ちではない。身内だというだけで、お大尽気分を味わいたいのなら、それこそ裕福で知られる札差しにでも、話を持ち込むべきだと藤兵衛は思ったのだ。

「八津屋さんにも、つい今し方、正直にそう言った。なのにこのお人は、是非にうちが良いと言い張るんだ」

何故八津屋は、長崎屋にこだわるのか。本心、何を考えているのか。藤兵衛はここで若だんなに、どう考えるか問うてきたのだ。

「いや長崎屋さん、そりゃこちらの店が、居心地が良さそうだからですよ」

横から八津屋が口を挟んできたが、藤兵衛は柔らかく笑うだけで返答をしない。若だんなはそんな父へ、真剣な眼差《まなざ》しを向けた。

（おとっつぁんといい、兄や達といい、松之助兄さんが分家してから、ちょいと態度が変わってきてるよね）

何というか、依然として若だんなを、砂糖漬けの蜜《みつ》まぶし程に甘やかし、大事大事に扱ってはいる。だが時に、いつの日か、しっかりとした跡取りになって欲しいという、そんな気持ちが見えてきた気がするのだ。

（が、頑張らなきゃっ）

若だんなはいつになく張り切った。すると心の臓が、急にどきどきと高く音を刻み出したのだ。期待に応《こた》え、ちゃんと答えを出せるのか考えると、手が汗で湿ってくる。

背筋がぴんと伸びるような心持ちがして、若だんなは答える前に姿勢を正した。

(大丈夫、大丈夫だ。間違えたら、またやり直す気構えを持てばいいんだから)

もし道で転んだら、立ち上がるしかないではないか。立って歩き出した経験があれば、また転ぶことがあっても、怖くないに違いない。若だんなは、八津屋と父を交互に見てから、おもむろに言った。

「実は、先日八津屋さんから、長崎屋の時を買いたいと言われた時、私も腑《ふ》に落ちないものを感じました。で、あれからずっと考えていたんですが」

おかげで屏風のぞきとの碁の勝負には、負けてばかりであった。

八津屋が他所《よそ》でなく、長崎屋へ話を持ってきた理由は何なのか。つまり、他所の大店と長崎屋の違いは何か。それは。

「跡取り息子が病弱な上に、長崎屋には係累《けいるい》が、ほとんど無いことでしょうかね」

兄の松之助は、家付き娘のおたえが生んだ子ではなく、入り婿《むこ》藤兵衛の庶子《しょし》だ。そして祖父母が駆け落ちして江戸で商いを始めた長崎屋には、他に、これといった親戚がいない。大店《おおだな》としては確かに、随分と珍しい事に違いなかった。

「そんな時、八津屋さんのお客が、長崎屋の身内として過ごす〝時〟を、買ったとします」

本当にその人が店で暮らす事になったら、大店の親戚としての日々を楽しめるだろう。だがそうなると、否応《いやおう》なく起こる事もあった。近所や取引先が、長崎屋で暮らすその自称親類を、目にすることになるのだ。

「勿論長崎屋は、時を売った話を、一々他所様に説明などしないでしょう。そんなことをされたら、買ったそのお人が、親戚気分で居られなくなりますからね」

すると町の人達は、その御仁を身内として覚えることになる。だが約束の時が来たら、遠方に行くとか言って、その御仁はちゃんと店から居なくなるに違いない。

しかし。

「先々もし……もしおとっつぁん達と私が、続けて亡《な》くなるような事があったとしたら。その御仁が本物の親戚として、名乗り出てくるかもしれませんね」

当然そんな話になる可能性は低い。だが、コロリやはしかなど、流行病《はやりやまい》は多いのだ。長崎屋の三人が死病に取っ付かれたら、自称親類は、富くじに当たるよりも大きな富を、一気に手に出来るかもしれない。

「その為《ため》の布石としてならば、しばしの時に大枚を出す訳も、納得出来ます。おとっつぁん、これが私の考えです」

「何と、若だんなの早死にを願ってる奴《やつ》が、いるってえことですか！」

ここで剣呑《けんのん》な声を出したのは、部屋の隅に残っていた佐助で、総身《そうみ》から怒りを吹き出している。八津屋が、さすがに少しばかり、身を後ろに引いた。

「そんな……考えすぎってもんですよぉ。私はただ大店の普通の毎日を、買いたいと言っただけですのに」

すると藤兵衛が笑った。

「八津屋さん、私は思うんですが、今回長崎屋の時を買いたがっているのは、八津屋さんご自身じゃないですかね」

もしそうであれば、若だんなの考えは当たっているのではないか。もの柔らかに話しているのに、藤兵衛の言葉には迫力がある。八津屋は今度は、身を小さくした。

するとこの時八津屋の後ろから、落ち着いた声がしたのだ。

「いや、〝時売り屋〟などというのはまだ珍しい故《ゆえ》、誤解があったようです。ご容赦を」

困っている主に代わり、ぐっと落ち着いた素振りを見せたのは、八津屋の番頭であった。古い店ではないからか、番頭といっても随分と若い。まだ三十路《みそじ》にもなっていないと思われる男は、佐右衛門《さえもん》だと名乗った。

「へえ、佐右衛門さん？」

若だんなが目を見張ると、佐右衛門は流れる水のような勢いで、己の考えを言い立てる。

「そりゃ、大店に他人を入れるとなると、不安を覚えるお人も、出てくるとは思います。ですが」

実は今までにも、八津屋は大店から時を買ったことがあるのだと、佐右衛門は言う。体に悪いしこりが出来、先が無いと思い定めたある娘がいた。その娘は、親が残してくれた店と引き替えに、しばし大店の箱入り娘として過ごしたのだ。

「あの時は御店の方も、娘さんを哀れんで下さいまして。始めのお約束より、長く面倒を見て下さいました」

結局娘は大店の寮で静かに息を引き取り、大店は八津屋へ幾ばくか払って、娘の店を手に入れた。おかげで次男に、暖簾《のれん》を分ける事が出来たのだ。

「誰にも良き話であったと、そう思っております」

八津屋としては今回も、是非そういう納得の出来る話になって欲しい。いや、きっとこの佐右衛門が、双方の益になるよう動くから、端《はな》から怪しんだりせず話を考えて頂きたいと、そう言ってきたのだ。

「おや、これはこれは。まるで店主のごとき、押し出しの良い番頭さんですな」

佐助が口元を歪《ゆが》めると、八津屋は番頭を怒るでもたしなめるでもなく、さりとて自慢する様子もなく、落ち着いて佐右衛門を見ている。

それから二人は深々と頭を下げ、またお願いに来る故、ゆるりと考えて欲しいと、そう繰り返して、帰ったのだ。

4

「ぎゅんいー、八津屋来た」

「三日前、来た」

「その後も来た」

「昨日も饅頭《まんじゅう》、食べた」

「お菓子、持ってこない。食べるだけ。きゅげっ、悪い奴！」

余程懲りない性格をしているのか、兄や達が向ける不機嫌な表情をものともせず、八津屋はそれから毎日、長崎屋へ顔を出すようになった。その度に離れへも寄り、木鉢に入っている若だんなの菓子を、これまた遠慮もなく、盛大に食べてゆく。

家を軋《きし》ませる妖《あやかし》、鳴家達は、菓子を若だんなと己達のものと決めている。よって八津屋のことを、妖怪菓子食べかも知れぬと、険しい顔で言い出していた。

「おや、そんな妖が世にいるのかい？」

若だんなが、部屋で寝転がっている妖らに聞くと、小鬼達は「きゅい？」と言って、首を傾《かし》げている。すると寝そべったまま、お獅子《しし》を枕《まくら》代わりにしていた屏風のぞきが、ふて腐れた声を出した。

「八津屋は、邪魔虫という妖に違いないさ。毎日突然来るものだから、部屋でゆっくり寛《くつろ》ぐこともできゃしないわ。迷惑だ！」

「あんな奴が、もし長崎屋で暮らすようになったら、いつも店中をうろつくだろうの。離れで宴会も出来ぬぞ。桑原、桑原」

そう言い出したのは野寺坊《のでらぼう》で、横で獺《かわうそ》も饅頭を食べつつ、同意している。今、店表で働いている仁吉や佐助は、ここ何日か、文句一つ言ってはいなかったが、実はそういうときの二人こそ剣呑だと、若だんなは真剣に考えていた。

父藤兵衛から、少し大人扱いされたからといって、八津屋が店の乗っ取りを望んでいるなどと、言ってはいけなかったのだ。注文通り病が流行《はや》る訳もなく、八津屋の夢は、どうせ実現などする筈も無いことであった。

(でも妖達は怒ってる。兄や達なんか、八津屋さんが本当に気にくわないみたいだ。とんでもないことを、しなきゃいいんだけど)

あの怖い者知らずな男を、黄泉比良坂《よもつひらさか》へ蹴《け》り落としたり、狐火《きつねび》で焼いたりしかねない。止めたところで、では悪鬼にでも喰わせようと言い出しかねず、若だんなの悩みは尽きなかった。

「とにかく、珍しくも今日、八津屋さんは来ないみたいだ。たんとあるから、お菓子をお食べ」

ふっくらした米《よね》饅頭に、色とりどりの金平糖《こんぺいとう》、それに上方《かみがた》から来た岩おこしを差し出すと、妖達は途端に上機嫌となる。

ところが。

「若だんな、ちょいと寄らせて貰ったよ」

土蔵脇《わき》の木戸辺りから声がしたものだから、妖達は一寸《ちょっと》の間に陰の内に逃れた。見れば顔を出してきたのは馴染《なじ》みの岡っ引き、日限《ひぎり》の親分で、今日は珍しくも最初から、御用の向きだと言ってきた。若だんなが、これ位己でもできると、茶を淹《い》れ菓子を勧めたところ、離れが軋む。

縁側に腰掛けた親分は上機嫌になり、早速饅頭を手にすると、一大事を告げてきた。

「実は昨夜、八津屋という商人が一人歩きをしていて、堀へ落ちてな。頭を打って怪《け》我《が》をした上に、溺《おぼ》れかけた」

「えっ、八津屋さんが？」

　大層運の良かった事に、八津屋は通りかかった夜釣りの者に助けられたらしい。しかし医者の家で、思いがけない事を口にしたのだ。

「背中をな、押されたっていうんだ」

「……殺されかけたってことですか」

　昨夜は新月ではなかったが、雲が出ていたから、星明かりすら無かった。提灯《ちょうちん》一つを頼りに、一人で歩いている時、堀川へ落ちたのだ。どちらに川岸があるかも、己では分からなかったに違いない。

「暗い夜の話だ。もし八津屋が溺れ死んで、口がきけなかったら、間違って落ちたんだろうってぇ事で終わってたかもな」

　親分の話に若だんなも頷《うなず》く。するとこの時、庭の方から薄情な言葉が聞こえた。

「あの御仁は奇妙な商売をしてますから、あっちこっちから恨まれているんじゃないですか。親分、調べるのに苦労しますよ」

「仁吉、何てことを言うんだい」

　若だんなが慌《あわ》てて止めたが、親分はぐっと眉間《みけん》に皺《しわ》を寄せる。そして仁吉に、昨夜は早くに寝たのかと、わざわざ問うてきたのだ。八津屋が長崎屋に足繁く通っており、兄や達の不興を買っている事を、珍しくもちゃんと摑《つか》んでいるらしい。

「昨日ですか？　若だんなが咳《せ》き込んでいたんで、夜中過ぎまで付き添っていましたが」

「ええ、ええ、仁吉は側《そば》に居てくれたよ」

急ぎ若だんなが頷いたものだから、親分がちょいと残念そうに、十手《じって》で己の頰《ほお》を叩《たた》く。すると仁吉が、ではもう差し上げても、袖《そで》の下にはなりませんよねと言って、袋を差し出した。

「いつもの品です。おかみさんへどうぞ」

岡っ引きの妻女は、ずっと寝込みがちであった。長崎屋の薬は上物で、効き目も確かだが少々高い。日頃の付き合いがなければ、岡っ引きの実入りでは、とても常用など出来ない代物《しろもの》なのだ。

親分は頭を下げ、途端、もの柔らかな話し方になる。

「それにしても仁吉さん、八津屋を恨む者は多いと言ったが、心当たりがあるのかい？」

八津屋は店を始めて、まだ何年も経《た》ってはいない。なのに揉《も》め事を山と溜《た》めるとは、珍しいと続けると、仁吉が手厳しく断じた。

「あの御仁は厚顔なのです。だからあんな商いを始めたのでしょうが、聞いた限りでは、どうも危ういやり方だ」

絵師に良き時を売ったのはいいが、二度目は、撥《は》ね付けている。武家と商いをするのも構わないが、二本差しの屋敷内にまで、人を入れるのは、危うい気がする。死を前にした娘が、八津屋へ支払った代金は、親が残した店一軒であった。当人は、死ぬから構わなかったのかも知れないが、恐ろしく高い。残された親戚《しんせき》達は、不平を持ったに違いない。

「きっと我らが知らない揉め事も、たんとある筈《はず》です」

すると親分が、また一つ米饅頭を食べつつ、溜息《ためいき》を漏らした。

「それじゃ怪しい奴が多すぎて、誰が憂《う》さを晴らしたか、見当が付かないな」

犯人は、一人か二人いれば間に合う。八津屋も、そこのところを考えておけばいいのにと、親分は勝手な事を言いつつ、今度は岩おこしに手を出した。若だんなも菓子を取ると、一かけ袖内に落としてから、そっと己の後ろへ手を回す。背の方に置いてある屏風《びょうぶ》の絵に差し出したのだが……木枠に触れた途端、不意に屏風のぞきが、そこに居ないような気持ちになって、若だんなは急ぎ振り返った。

（あ、大丈夫。ちゃんと屏風の中にいる）

若だんなに、突然顔を向けられ驚いたのか、屏風のぞきはきょとんとした表情をしている。若だんなは奇妙な程安心し、こっそり岩おこしを渡すと、ぼやく親分の側に戻った。

「八津屋も、誰にやられたのか分からないんじゃあ、当分外出の時は気をつけないとならねぇな。また堀へ落とされたら、今度は這《は》い上がっちゃ来られないかもしれねえ」

だが大した怪我では無かった故、八津屋はもう店に帰ったらしい。番頭が迎えに来たと言ってから、親分は少し笑った。

「あの店は、本当に何だか奇妙だな。番頭はいるのに、小僧はいないようだぜ」

「へえ……」

そんな店は聞いた事がなく、若だんなは少しばかり目を見開く。そういえば、先に八津屋の供をしていたのも番頭であった。

「奉公人なのに、あの店の番頭さんは、随分と大きな顔をして威張ってますね」

仁吉の言葉に、親分は声を出して笑う。そして最後の饅頭をしっかり食べた後、機嫌良く若だんなの顔を覗《のぞ》き込んできた。

「とにかく、調べなきゃいけない事が、随分とありそうだ。若だんなも何か分かったら、直《す》ぐ知らせてくんな」

すると仁吉が横から素早く、親分に釘《くぎ》をさした。

「日限の親分さん、岡っ引きなのは親分さんなんですから。病弱な若だんなを当てにしちゃ、駄目ですよ」

すると若だんなが、張り切って言う。

「いいじゃないか仁吉。たまには外出をした方が、きっと私の体にもいいよ」

「仁吉さん、そうだよねえ。いや、ついお調べに夢中になっちまって。済まないな」

「だから親分さん、大丈夫ですってば」

「いや、さすが親分さんは、長年の付き合いで心得ておいでだ。分かって下さって、ありがとうございます」

「だから、二人とも話を聞いておくれな！」

若だんながふて腐れたにもかかわらず、親分は仁吉と話をつけてしまい、薬袋を抱えて縁側から帰ってゆく。すると早々に姿を現した妖達が、僅《わず》かに残っていた金平糖に手を出し、あっという間に木鉢は空になった。食べられなかった沢山の小鬼が、木鉢をひっくり返して菓子を探すが、見つけられないでいる。

すると鳴家《やなり》達は、とんでもない事を言い出した。

「若だんな、分かった。犯人、分かった！」

「へえ、誰だい？」


面白がったのは屏風のぞきで、おだてるようにして答えを問う。すると、小さな足を踏ん張った鳴家は、確信を持って口にした。

「八津屋を突き飛ばしたの、日限の親分に決めた。八津屋溺れて、親分捕まれば、お菓子は無事。玉子焼きも無事」

これで毎日は楽しいと言い出したものだから、「違いない！」と口を揃《そろ》え、他の妖達もわっと歓声を上げる。若だんなは溜息をついた。

「そんなにお菓子が大切なら、八津屋さんを襲った本当の犯人を捜しておいで。捕まるまで日限の親分さんは、しょっちゅうこの離れへ顔を出すに違いないから」

そうとなれば、菓子は毎日随分と減るに違いない。若だんなの言葉を聞き、離れの中が寸の間、静寂に包まれる。それから「一大事！」と声が上がり、妖達の姿は風のように消えたのだった。

5

「分かりました、若だんな。八津屋を襲ったのは、神田の道場主の次男坊、又次郎《またじろう》に違いありません」

数日過ぎた昼時のこと。妖達が報告のために集まって来たので、若だんなは佐助に頼み、皆の昼餉《ひるげ》を出して貰《もら》った。握り飯が並んだ大皿が、離れの居間に並ぶと、鳴家達に屏風のぞき、野寺坊と獺、猫又《ねこまた》のおしろ達と鈴彦姫《すずひこひめ》が、夢中になって食べ始める。

「おい、お前達。若だんなに話があるから、来たのだろうが」

佐助がじれたように促すと、まず得意げに報告したのが、野寺坊と獺であった。

「又次郎は、浪人ではない、きちんとした武家の暮らしにあこがれ、八津屋から時を買った奴です。余り、いけてる顔じゃありません」

二人によると、仕官をしたい又次郎は、化けている内に、武家の養子先を見つける腹づもりであったようだ。しかし姿が冴《さ》えないせいか、若い娘御の受けが良くなかった。短い間では、どうしても縁談相手を見つけられず、町屋に帰った後、金を無駄にしたと文句を言っていたそうだ。

「それで腹いせに、八津屋を堀へ突き落としたと言うんだね。証拠はあったのかい？」

若だんなの問いに、二人は眉尻《まゆじり》を下げる。

「あの、そんなものが必要なんでしょうか」

「やっぱり、要るだろうねえ」

「じゃあ、明日探してきます」

すると次に、犯人は我らが一番に見つけたと、米粒を口に一杯付けた鳴家達が言い始める。

「きゅんいー、おにぎり、美味《おい》しいです」

「ぎゅい、八津屋、嫌いです」

「えと、何だっけ……そう、大店《おおだな》のお嬢さんの暮らし、買った娘さん、いた。それが問題だった」

娘が病で亡《な》くなると、持っていた店が代金として差し出された。だが娘には叔父がいて、その家族もいたから、店一軒取られたのは余りに高額だと、やはり揉めたのだそうだ。叔父の不満は八津屋にだけでなく、店を継いだ大店の次男坊にも、向かったという。

「その時の恨みで、その叔父御が八津屋、堀へ突き落としたかも」

かも、と言われたので、若だんなはその叔父と、店主達がどう揉めたのか、鳴家に聞く。するとその叔父は店だけでなく、娘まで取られたのだと、鳴家は言い出したのだ。

「娘さんを取られた？」

「叔父御は店に、何度も文句を言いに行ったたって。その時、娘さんも付いて行ったたって」

「で、その娘は小町と言われるほど、それは綺麗《きれい》な人であったらしい。店主の次男坊は心を奪われ、何と二人はその時の縁で、一緒になったというのだ。

「ぎゅい、娘さん嫁いだので、男は店を返せと言えなくなった。一大事！」

「あれま」

若だんなは驚き、横で屏風のぞきが笑い出した。

「その叔父御、八津屋へ菓子折でも持って行きそうだな」

「きょん？　何でぇ？」

しきりと首を傾《かし》げる鳴家の横で、真打ち登場と、もったいぶって話を始めたのは、屏風のぞきであった。付喪神《つくもがみ》が目を付けたのは、若だんなも会ったことのある絵師だ。

「あたしが調べたところによると、その絵師は八津屋に断られた後も、また弟子にして欲しいと、老絵師の所へ通っているとか」

金で時を買えないのなら、己の努力で老絵師を説得しようと試みているのだ。ところが、金子に余裕が出来た老絵師は、元の人嫌いに戻ってしまい、さっぱり受け付けて貰えない。おまけに弟子を取ったという話が広がって、他にも弟子志願者が湧《わ》いて出たらしい。焦《あせ》った絵師は、老絵師の気を引こうと馬鹿《ばか》をした。

「何でも、火を描くのが好きな老絵師のために、住まい近くの空き地で、大きなたき火をしたんだそうな」

ところが競争相手の弟子志願者も、たき火を真似《まね》たものだから、火が剣呑《けんのん》なほどに燃え上がった。火事になりかねないと、老絵師は近所の者らから、酷《ひど》く怒鳴られたそうだ。あげく、たき火をした二人は火を消した時、近所の者に水をぶっかけられたという。

「絵師はその時、八津屋へ恨み言を言っていたとか。つまり濡《ぬ》れ鼠《ねずみ》になったのは、八津屋のせいだと決めつけて、同じように水の中へ突き落としたんじゃないかね」

どうだ、素晴らしい考えだろうと、屏風のぞきは得意げな様子だ。だが他の妖《あやかし》達から不満の声が出たので、ふて腐れた顔で、握り飯を手に取る事となった。

「証拠が無いのは、道場主の次男坊と同じだって？　どこが同じなんだよ。こっちの男はちゃんと、水と関係してるぞ。死んだ娘の叔父御？　ありゃ話にならん」

「ぎゅいん？　何で？」

「理由が分からんのか、馬鹿小鬼！」

いきなり鳴家達が屏風のぞきに嚙《か》みついたので、騒ぎとなり、皆が握り飯の皿を避難させる。佐助は眉を顰《ひそ》め、若だんなは落ち着いて首を傾げた。

「なんだか、変だよねえ。店を取られた話は、上手《うま》くまとまってる。八津屋さんが溺《おぼ》れ死んだからって、道場主の次男坊は、仕官はできないし、絵師は弟子になれない」

それにあの弟子志願の絵師ときたら、ただただ老絵師の事しか考えていない気がする。つまり若だんなが知る限り、本気で八津屋へ怒りを向けている者は居ないのだ。

「どういうことかしら」

悩んでばかりで食べないでいたら、佐助が黙ったまま、小皿に載せた梅干しの握り飯を差し出してきた。直ぐに一つは食べないと、握り飯が三つに増えそうな気がして、若だんなは慌《あわ》てて食べ始める。佐助は満足そうな顔をして、喋《しゃべ》り始めた。

「八津屋が突き落とされたのは、きっと心がけが悪かったせいですよ。長崎屋を乗っ取りたいなんて思ってるから、悪運を引き寄せたんです」

因果は巡ると言いつつ、猫板《ねこいた》に湯飲みを載せる。

「そうだった、八津屋さんはうちの店が欲しかったんだよね」

驚く程まめに長崎屋へ顔を出すので、若だんなは八津屋へちょいと、引っかけた問いをしていた。

「長崎屋を手に入れようというんで、八津屋さんはここまで頑張れるのかな」

「へへへ、まあ……ねえ」

ぺらっとそう返答していたから、本気の本気らしい。

若だんなはここで、梅干しの酸《す》っぱい味を噛みしめつつ、しばし茶の湯気を見つめる。佐助が直ぐに、気遣わしげに問うてきた。

「どうしました？　熱かったですか？」

「いや……」佐助に、八津屋の店はいずこにあるのかを問うと、通町を北へ行って道二本奥へ入ったところで、小さな店を構えているという。若だんなはもう一つ問うた。

「八津屋さんが先日もし、溺れて亡くなっていたら、その店は誰が継いだのかしら」

確か八津屋は、新たな仕事に忙しく、まだ妻すらいない筈であった。「さて？」佐助が戸惑った声を出すと、妖達が勝手を言う。

「きゅい、親戚《しんせき》」

「そんな御仁がいるとは聞いた事がないね」

屏風のぞきが眉根に皺《しわ》を寄せる。

「きゅい、じゃあ店は、年老いた親のもの。親、いるの？」

「おしろさん、隠し子が継ぐってぇのはどうかね」

「子供がいるんなら、野寺坊さん、妾《めかけ》が貰うという事も、あり得るかも」

「八津屋が死んだ後、店の権利を書いた沽券《こけん》を、最初に見つけた者が、我がものにするってぇのは、どうだい？」

沽券は店や土地の売渡証文で、売り主から買い主へと渡されるものだ。つまり、店の持ち主は誰かということを証明する、大事な証《あかし》であった。

屛風のぞきの考えに、随分と賛成する声が出た。店主が死んだのなら、野辺《のべ》送り代を支払った者が貰えばいいとか、きっと悪い町名主が我がものにするとか、どんどん勝手な話は続いてゆく。佐助が口の端を引き上げた。

「何かの時、長崎屋の場合は松之助さんの所へ、まず知らせが行く筈《はず》です。八津屋さんは、他所《よそ》の店の係累《けいるい》の少なさに目を付ける前に、己が嫁でも貰うべきですな」

しかし、あのような奇妙な商いをする男へ、娘をやる親がいるものか。妖達がまた勝手に、あれこれ言い始めた、その時であった。

「若だんな、助けてくださいまし」

いきなり大声がしたと思ったら、中庭に通じる木戸が開いたのだ。

「妖怪菓子食べが来たっ」

妖達がさっと不機嫌な顔つきとなり、部屋から退散する。障子に影が映ったので開けると、八津屋が縁側に両手を突き、息を荒くして、しばしものも言えない様子でいた。

「八津屋さん、分かっております。日限の親分さんにも頼まれてますから。堀へ突き落としたのは誰か、ちゃんと調べて……」

「違うんです！ いや、違わないか。でも今は、別のことでっ」

いや、少しは関係があるかと言い直し、八津屋は思い切り混乱した様子であった。

「とにかくうちが……八津屋が、乗っ取られたんです！」

その言葉は、悲鳴のようであった。若だんなと佐助が顔を見合わせると、きゅきゅきゅと音が重なり、離れが大いに軋《きし》んだ。

6

「私が馬鹿だったんです。いや、お人好し過ぎたと言いましょうか。私ときたら優しいものだから、すぐ人の話を信じてしまって……」

「八津屋さん、助けて欲しいのなら、さっさと用件を言わないと、日が暮れます」

一応茶を出しはしたものの、相手が気にくわない八津屋なものだから、佐助の物言いはそっけない。ここで見放されては泊まる場所も無いのだと、八津屋は急ぎ話し出した。

「泊まる？ この長崎屋にですか？」

「若だんな、佐助さん、何が起こったのかと言いますと、つまりは番頭の佐右衛門が、問題なのでして……」

八津屋はここでまた迷う様子を見せ、一旦《いったん》言葉を切る。すると若だんなが、あっさり話を引き継いだ。

「あの番頭さんは、多分本物ではないのでしょう。つまり八津屋さんから、番頭として働く時を買った、お客だったのではないかと」

「何と、分かっておいでででしたか」

長崎屋にも、番頭として紹介した手前、言いにくかったと八津屋は頭を掻《か》く。佐助が驚いた顔をすると、若だんなは名前に引っかかっていたと告げた。

「だって勝兵衛さんという名のご主人がいる番頭さんが、佐右衛門さんというのは、名前が勝ち過ぎというか」

店に奉公に上がった者は、まず小僧として、さだ、とか、たつ、とか、呼びやすい名で呼ばれる。それから手代となれば、仁吉、佐助のように呼び名が変わる。更に上の立場に上がると、それらしく名を変えてゆく。若だんなの父とて、長崎屋の店主となり藤兵衛を名乗る前は、藤吉という名であった。

「つまり佐右衛門さんは、番頭としての時を買った客だから、分不相応な位、格好の良い名を名乗ったということですか」

「違いありません。お分かりとは、さすがは、私がお育てした若だんな」

佐助が感心したように言うと、横で八津屋が、溜息《ためいき》をつく。佐右衛門の偉そうな名は、それだけの意味では無かったのだ。

「あの男は最初確かに、番頭として暫《しばら》く、八津屋で勤めたいと言いました」

お店《たな》勤めをしたいが、もう若くもないから、一から小僧として奉公することなど出来ない。ついては八津屋で暫く番頭として勤め、その経験を元に、いずれ別の店で働きたい。佐右衛門はそう説明したのだ。

「私は上手いやり方だと思いました。だから一年という約束で、あの男に番頭として過ごす時を、売ったんです」

お客だから、仕事が出来なくとも怒りはしない。佐右衛門が他店でも働けるよう、仕事を教えもした。最近ようよう、格好がつくようになってきた所であったという。

「そして先日、私は堀へ突き落とされました」

そしらぬ顔で番屋へ迎えに来てくれた佐右衛門は、危ないから暫く、深川辺りでゆっくり休んだらどうかと、そう勧めたらしい。丁度急ぎの仕事が無かった時でもあり、何の疑いもなく、八津屋は慣れてきた佐右衛門に、暫く店を任せてみたのだ。

すると。

「私が留守にした途端、あの男、店の沽券を盗んだんです！」

「しかし、ただ沽券を盗んでも、簡単に持ち主を変える事は無理なのでは？　町名主さんや五人組などの、加判が要る筈ですよね？」

「あの男、私が命を狙《ねら》われた事に恐れを成し、隠居をした。そして番頭に店を譲ったと、そう周りに触れ回ってるんです」

その上で、八津屋の店の印を使い、一切を佐右衛門に譲るという、偽《にせ》の証文を作ったらしい。佐右衛門はそうして着々と、事を成し遂げんとしているのだという。

「おお、そういう手が有りましたか」

佐助が感心すると、八津屋は恨めしげな表情で話の先を続けた。

「あの男、最初からそのつもりで、うちに雇われたんです。跡取りがいなかったから！」

きっと、先日己を堀へ突き落としたのも、佐右衛門に違いない。悔しげに言う八津屋へ、そういえば似たような事を考え、どこぞの店へ入り込もうとしていた奴《やつ》がいましたねと、佐助が皮肉を言う。すると八津屋が、さっと顔を若だんなに向けた。

「もしかしたら、先日若だんなが、そういう話をされたのを聞いて、佐右衛門はそっくり真似たのかも」

「えっ？　私のせいなんですか？　佐右衛門さんは、最初からそのつもりで八津屋に入ったんだと、今言いませんでしたっけ？」

寸の間驚いたものの、若だんなはそれ以上、文句を言う間も無かった。佐助が怒って、八津屋を殴りそうになったものだから、止めるのに必死だったのだ。佐助は十分強面《こわもて》だと思うのに、何度も懲《こ》りない事を言う八津屋を、いっそ強いとも思う。

「怒らないで下さいよう。ですからその、ともかく助けて下さい。他に頼る相手がいないんです」

そう言われてしまうと、縋《すが》ってきた者を突き放す事も出来ない。若だんなは息を一つ吐き、協力してみようと答えた。ただし。

「八津屋さんには代金を払って頂きます。金子ではなく、菓子で」

何しろ若だんなは、思うように外出が出来ない。だから実際力を貸してくれる者達に、たっぷり報いて貰《もら》いたいと思うのだ。

「高名な鈴木越後《すずきえちご》の、羊羹《ようかん》や上菓子なんか、いいですね」

この言葉に、八津屋が眉尻《まゆじり》をぐっと下げる。

「おや、不満ですか。若だんな、八津屋さんは店を失う方がいいと見えますな」

佐助が、力を貸さずに済むならば楽だと笑うと、八津屋は慌てて協力を願い出た。

「買います。喜んで菓子を買います。あの店を失ったら、私には何も残らないんです」

八津屋が、畳に付くかと思う程に頭を下げると、離れがいつにも増して軋む。佐助が面倒くさそうに言った。

「話は決まりましたね。こうなったら、八津屋さんはまず、佐右衛門さんよりも早く、町名主さんに事情を話さねば」

店の沽券は高値で取り引きされるものだ。町名主が八津屋に確認もせず、簡単に証書を書き直すとも思えなかった。

せかされた八津屋は、急ぎ長崎屋から出かけて行く。すると離れに、また妖《あやかし》らが戻ってきた。

「若だんな、あいつに手を貸すなんて、人が良すぎますよう」

妖達が雁首《がんくび》を揃《そろ》え、不機嫌な表情を浮かべた所に、母屋《おもや》から来た仁吉も顔を出す。誰も八津屋の沽券になど興味が無い様子で、取り返して来ようという言葉が出ない。

「自業自得《じごうじとく》ですよ」

仁吉の意見に、妖達は一斉に頷《うなず》く。

「鈴木越後の菓子は食べたいですが、ぎゅい、八津屋は食べたくありません」

「馬鹿《ばか》だねえ、あんな堅そうな男、食べられやしないよ。鈴木越後の菓子は上等だが、あたしも手を貸したくはないな」

屏風《びょうぶ》のぞきも首を横に振り、妖達は、菓子だけが歩いてきてくれぬかと、真剣に考えている。若だんなは小さく笑うと、では八津屋が長崎屋の居候《いそうろう》となる方がいいかと、皆に問うた。あの男であれば、堂々と来かねない。

「それは嫌です！」

「沽券と店の印を取り戻せたら、八津屋にはとりあえず、帰る店が出来るよ」

もうあの番頭は店に入れぬであろうし、奉公人を失って、八津屋は忙しくなるはずだ。だから長崎屋に来ることも、そうはなかろうと言うと、妖達は顔を見合わせる。

「この長崎屋は……我らの住処《すみか》であります」

「痛っ、仁吉さん、勿論《もちろん》、一に若だんなの住まいですよ、はい」

「でも、八津屋の部屋はねえよ」

「ぎゅい、あれは堅くて食べられません」

長崎屋は今や、妖達にとって、なくてはならない場所となっているのだ。大事な大事な、ここしかない拠《よ》り所であった。人ならば他にも、安心して寝転がって、若だんなの膝《ひざ》で甘える場所を都合出来ようが、妖とあればそうはいかない。なのにその場が今、危うくなっていた。

「佐右衛門をやっつけるのが、一番いいかもしれないねえ。そうすれば、鬱陶《うっとう》しい八津屋が、長崎屋から消える」

仕方ない、佐右衛門が乗っ取った八津屋の店は、どこにあるかと皆が話し始めると、不思議な事に、出かけた筈の八津屋の声がまた近づいて来る。若だんなが縁側へ見に行くと、八津屋が困りきった顔で中庭に入ってきた。

「町名主さんが見つかりません。どこぞの大家さんに呼ばれ、出かけたらしいのです」

焦《あせ》った八津屋が戸惑っていると、町名主屋敷の手代が、先程佐右衛門も町名主を探していたと教えてくれた。

「拙《まず》いです。先を越されてはいけないと思うのですが、どこを探したらいいのやら」

それで八津屋は、ともかく一旦戻って来たらしい。

「町名主さんは、どんな用で外出をしたんですか？」

若だんなが問うと、何でも火事になりそうなのを、止めに行ったとの事であった。

「以前にも大家に止められたのに、懲りずにたき火をした者がいるとか。それで今度は、町名主さんが呼ばれたんです」

確かに今日は風があるから、たき火は剣呑《けんのん》であった。八津屋が立ちすくんでいると、縁側に座った若だんなが、とんと膝を叩《たた》く。

「八津屋さん、そのたき火の場所、分かるような気がします」

「えっ、本当ですか！」

「少し前にも、たき火騒ぎがあったじゃないですか。そいつは先に、八津屋さんが時を売った、絵師さんが起こしたものですよ」

あの老絵師の目を引こうと、火事のような大きな火を起こそうとして、絵師は近所の者達から大目玉を食ったのだ。

「つまり、今、町名主さんのいる場所は、あの老絵師の長屋の側《そば》です」

近所でたき火が出来る程空いている所は、余りない筈《はず》だ。つまり長屋の側へ行けば、人が集まっている所があり、直《す》ぐに分かると思われた。そしてそこに、沽券《こけん》と印を持った佐右衛門も、向かっている筈であった。八津屋の表情がぱっと明るくなる。

「ならば場所は分かります。ここからそう遠くはありません。直ぐに行かなくては」

「町名主さんが居るなら、私も一緒に行って訳を話しましょう。佐右衛門さんと言い合いになった場合、味方が居た方がよろしいかと」

「若だんな、外出をされるつもりですか？」

兄や達は、大いに不満げな様子を見せたものの、早く事を片付けて、八津屋を追っ払いたいとも思ったらしい。結局黙ると、若だんなの外出の支度を始めた。

すると鳴家《やなり》達が何匹か、若だんなの袖《そで》の内に入り込んだ。他の妖達も屋根から、陰の内から、若だんな達を追う構えを見せる。

じきに一同は揃って、老絵師の長屋を目指し、長崎屋から出かけて行った。

7

町名主を捜しに出て、驚く事は三つあった。

一つは、思いも掛けない程に、老絵師の長屋が、長崎屋から近かった事だ。

二つには、絵師が起こしたたき火が、近寄るのも怖い程に、大きなものであったこと。

そして三つには、既に佐右衛門がその長屋に来ていたという事であった。佐右衛門はたき火の側で、絵師達と町名主の言い合いに決着が付くのを、今や遅しと待っていたのだ。

「盗人《ぬすっと》が、堂々と現れたか」

眉を吊《つ》り上げたのは八津屋で、佐右衛門に駆け寄ると、その姿を仁王立ちで睨《にら》む。

佐右衛門も、かつての主《あるじ》の出現を見た途端、身構えた。

だが、八津屋に味方する筈の若だんなは、立ちすくんでしまって、それどころではない。何故《なぜ》だかたき火が……赤く燃えさかる火が、酷《ひど》く、それは無性に恐ろしかったのだ。

(どうしてなんだろ……)

長崎屋が火事に巻き込まれ、難儀した事はあるが、火から逃げ回った覚えは無い。よって若だんなは今まで、火を怖いと思った事など、一度も無かったのだ。

なのに今日は火を見た途端、総身が震えた。

(長崎屋に火が移ったら、どうしよう)

急に、付いてきた筈の妖達が心配になり、姿を探す。野寺坊や鈴彦姫らが、物陰からこちらを見ているのが分かって、若だんなはほっと息を吐いた。

しかし。長屋の端にある小さな空き地では、二手に分かれた言い合いが、とんと終わらないでいる。

「だからこれは老先生に、炎の絵を存分に描いて頂くための、大事なたき火なんだ。簡単に消すなんて、言わないでもらいたいね」

「風がある事が、分からないのかい。火の粉が飛んで火事になったら、あんたもただじゃ済まないんだよ」

町名主のじれたような声が、若い絵師の声に重なった。そこへ更に、横にいる二人の言い合いが被《かぶ》さって、空き地は何時《いつ》にない喚《わめ》きあいの場と化してゆく。

「何が佐右衛門だ！　お前さんの元の名は、佐平だろうが。ついでにお店の番頭じゃぁなくて、ただの油の担《かつ》ぎ売りだっ」

早々に八津屋の沽券を返せという声に、「けっ」という威勢の良い啖呵《たんか》が被さる。

「八津屋はもう、この佐右衛門が跡を継いだんだよ。じじいは大人しく隠居してな」

「この、盗人がっ」

「ぎゅんいっ」

「だから、火を消すんだ。己でやらないのなら、仕方がない、私達が水を掛けるからね」

「沽券をどこへやったっ」

「おうい、水、持っといで。小さな手桶《ておけ》じゃ、間に合わないよ」

「町名主さん、早くこっちの話を聞いちゃくれませんかね。店とはもう関係ない男がしゃしゃり出てきて、鬱陶しくってならねえ」

「どっちが八津屋と関係ない者か、誰でも知ってらぁな。そうでしょ、町名主さん」

「きょわーっ」

二手に分かれていたはずの言い合いは、今や混じってしまって、誰が誰に返答をしているのかも、定かでは無くなってきた。佐右衛門が懐《ふところ》から書き付けを取り出し、己の名前に書き換えて欲しいと、強引に町名主へ見せようとする。そこへ手桶の水が運ばれてきたものだから、絵師がたき火を守ろうと、桶に駆け寄り思い切り蹴飛《けと》ばしたのだ。

「何をするんだっ」

怒りの声が上がった途端、桶は空き地を転がって、それを避けた佐右衛門が一寸身《ちょっと》をよじる。するとその佐右衛門に、言い合いを見て興奮していた鳴家達が、飛びついたのだ。そして己も活躍したいとばかり、思い切り嚙《か》みついた。

「痛っ」

佐右衛門が悲鳴と共に、手を振り上げたものだから、鳴家は空高く飛ぶ羽目になった。「きょげげげっ」鳴き声と共に、随分と飛ばされて行く。沽券を握りしめていたものだから、風を受けたに違いなかった。

「ひえっ、大事な証文がっ」

顔を引きつらせた佐右衛門が、駆け出そうとすると、急につまずいて転ぶ。陰の内から、妖達が足を摑《つか》んだのだ。その懐に手を入れ、紙入れを引っ張り出すと、八津屋の印を抜き取る。

「おや、凄《すご》い」

あっさり印を渡された若だんなが、笑みを口元に浮かべたその時、たき火が大きく爆《は》ぜた。火の粉が百に分かれて空へ散り、鳴家が摑んでいた沽券の端をも焦《こ》がす。

「ぎゃっ」

あっという間に沽券が燃え上がったものだから、鳴家が落っこちる。長屋の横にある塵《ごみ》捨て場の屋根からも、小さな火の手が上がってしまった。

「ああっ、言わぬ事ではないっ」

町名主は吐き捨てるように言って、急ぎ手桶の水を屋根に掛けると共に、長屋の者達に火消しを呼びにやらせた。大火となったら、それこそ己も責任を取らされかねない、そんな一大事であった。

「水だ、水を早く持ってきておくれっ」

声があちこちから上がる中、若だんなはしばし呆然《ぼうぜん》として立ちすくむ。

「火事に……なるのかしら」

火元がすぐ近くだから、あっという間に長崎屋へも、この火は移るかもしれない。

いや火消しがそうと決めたら、まだ燃えていなくとも、家が壊されてしまうことはあり得た。

水は汲《く》むのも運ぶのも大変だ。大きく火の手が上がったら、とても水では消せるものではなかった。だから火消し達は火が移ってゆく少し先の家を壊し、それ以上先へ燃え移らないようにするのだ。それが、お江戸の火消しであった。

あれほど止めたのに火事を出してしまった絵師を、怒り興奮した長屋の者達が殴りつけている。佐右衛門は、灰になった沽券の僅《わず》かな残りを手にし、塵捨て場の横で立ち上がれないでいた。若だんなは近くにいた八津屋へ、手に入れたばかりの印を渡すと、力を貸すのはここまでと伝えた。

「私は直ぐに帰ります。この火が万に一つ、長崎屋に燃え移ったらと、心配だから」

金は失ったら、新たに稼げばいい。家は燃えてしまった場合、また建てるしかない。しかし妖達は、取り戻せない。付喪神《つくもがみ》達の本体が幾つか、長崎屋の離れにあるのだ。

(あれだけは何としても早く、床下の穴の中へ逃がさなきゃ)

屏風《びょうぶ》のぞきの屏風がある。織部《おりべ》の茶器がある。屋根裏では残っている鳴家達が、寝ているかもしれない。火事は何時にない恐怖を、若だんなに運んで来ていた。

(何でこんなに……総身が震える程、恐いんだ?)

気づいた時には、走り出していた。長屋と長崎屋とは近いから、若だんなでも走りきれるに違いなかった。

「若だんな、どうしたんです、若だんなっ」

兄や達の声が背から聞こえたのに、若だんなは止まらなかった。

途中で追いついてきた佐助に抱えられ、そのまま長崎屋の中庭に駆け込むと、風に乗っていがらっぽい匂《にお》いが運ばれてくる。屋根に移った火は、まだ燃えているらしかった。

若だんなは母屋《おもや》に火事の事を告げ、庭の稲荷《いなり》神の祠《ほこら》に住まう狐達に、きょとんとして動かない鳴家達を、運び出してくれるよう頼む。その後離れに上がり込むと、じきに半鐘《はんしょう》を打つ音が、近くから聞こえてきた。

「屏風や茶碗《ちゃわん》を、床下の穴蔵へ入れなきゃ」

兄や達が畳を上げ、直ぐに穴蔵を開けてくれたのに、どうしてだか心の臓が早く高く打って心配が去らない。大きな屏風を抱え、穴に入った兄や達へ渡そうとしていると、突然屏風が軽くなった。

「あれ……八津屋さん、来たんですか」

「若だんなには、印を取り戻して貰《もら》いました。それに、沽券は燃えてしまったようだ」

この火事で沽券が燃えたと言えば、町名主は元々の持ち主、八津屋の名で沽券を書き直してくれるに違いない。これで店は、八津屋の手に返ってくる事になる。

「お礼に何か、手伝おうと思いましてね」

ありがたい助っ人であった。二人で屏風のぞきの本体を、丁寧に穴へと降ろしてゆく。織部達なども入れ、急ぎ穴蔵の蓋《ふた》をすると、筵《むしろ》で覆《おお》い、そこにたっぷりと水を含ませた。八津屋も手伝い筵の上から土を掛ければ、やっと避難が終わる。

「ああ、良かった……」

ほっとして顔を上げ、開けはなった奥の障子の向こうへ目をやる。すると空へ向かって立ち上る、火と煙がそこに見えた。

(怖い……でも、とりあえずもう大丈夫)

そう思った途端。

(あ……)

寸の間、火の中にあれこれと、知らぬものが見えた気がしたのだ。小さな男の子も、見たことのない、綺麗《きれい》な娘御の顔が流れて消えた。見た気がする。

大雨の向こうに、背の高いおなごの姿があった。その光景が花の海へと変わったら、尊顔を知るお姿が、声を掛けてきたように見え、思わず戸惑う。寸の間、訳も分からず泣きたいような気持ちに包まれた。若だんなは部屋の内でただ、立ちすくんでしまった。

（これは……何なんだろうか）

しかし、一時高く上がった炎は、駆けつけた火消し達の手によって、手際《てぎわ》良く消されたようであった。あっと言う間に火は見えなくなり、じきに僅かな煙の筋と化してゆく。きっと今頃長屋の脇《わき》では、あの絵師が火消し達に、締め上げられているだろう。

「ああ、どうやら小火《ぼや》で済んだようですね」

兄や達もほっとしたような声を出したが、どちらも穴蔵を開けた事が、余分な手間だったとは言わない。風のある日に火の手が上がれば、あっという間に家の間を、火が走る事もあるからだ。

「やれやれ、何とか事は収まりましたな」

ここで八津屋が、己の腰を叩《たた》きつつ笑い、若だんなに改めて、印を取り戻してくれた礼を言ってきた。

「佐右衛門も沽券を無くしたからには、引くでしょう。ですが今回の騒ぎには参りました」

やはり時を売るなどという商売は、剣呑《けんのん》なものだと、ぼやいている。並な商い、例えば口入れ屋などに商売替えをした方が、心やすく過ごせるかと、八津屋は考え始めた様子であった。何しろ己は、人が良いからという。

「商売を変えるとかいうことより、欲の皮を突っ張らせる事をやめては？　他家を乗っ取ろうとしてると、また災難に遭う。そう思いますがね」

兄や達は揃《そろ》って、自称善人の店主に目をやり、溜息《ためいき》をついている。

もう火は来ぬと見て、母屋から屋根伝いに、鳴家《やなり》達が戻ってきた。気の小さい一匹が、若だんなの袖《そで》の内へ入る。もう穴蔵から付喪神達を掘り出しても良いが、出た途端あれこれ愚痴を言いそうであったから、八津屋が帰ってからにしようと思う。

「ああ、本当にもう大丈夫！」

若だんなは、はっきりとそう口に出してみた。すると何故だか又、泣けてくるような思いが、胸をかすめたのだ。

まるで、妖《あやかし》の誰かを失ったような。会う筈《はず》であった誰かと、二度と会えぬような。

返答は、もう聞けぬ気がした。大切にしたい、思い出となるような時を、失ってしまうと思う。何かが指の間から、欠け落ちてゆく。

(どうしたっていうんだろうか)

首を傾《かし》げはしたが、訳が分からない。そしてそんな思いすら、あっという間に風にさらわれ、消えてしまいそうであった。

その時火事の騒ぎを聞きつけたのか、日限《ひぎり》の親分が顔を出してくる。店表から両親も見にきて、若だんなの無事を確認すると、いつもと変わらない日々へ戻ってゆく。八津屋も帰宅した。江戸で暮らす者は、火事には慣れているのだ。小火が起こったくらいのことで、毎日の営みが大きく変わる事はない。

「ああ、騒ぎが終わった」

若だんなはほっと息を吐き、庭に降りる。すると驚いたことに長崎屋の庭で、あの恐ろしくもあるが縁の深い、生目神《いきめがみ》の姿を目にしたのだ。側《そば》に、見たことの無いお方を連れておいでであった。

「これよりは、弓手《ゆんで》の道」

神の話す声は、ようよう耳に届くか届かぬかと言うほどかすかだ。

「始まるのは、知らぬ明日」

人は、新たに出会う者。起こるのは初めての出来事。何故ならばこの先は二手に分かれた道の、弓手の先の場所であるのだから。

「生目神様？　それはどういうことで……」

だが若だんなが一歩近づいた途端、そのお姿は最初から無かったかのように、霞《かすみ》よりも淡く消えていた。

「あれ、神がおられたと思ったのは……見間違いか？」

心がざわめき、立ち尽くすと、若だんなが具合でも悪くしたかと、兄や達が心配げな様子で部屋の内から声を掛けてくる。

「何でもない、大丈夫だよ」

振り返り、毎度の返答をする。それから若だんなは、小さく笑みを浮かべた。

ここは長崎屋の庭なのだ。小火は消えたし、不安に思うような事は、何も無いではないか。

いつもの皆が、無事で、側にいるのだから。

「妖達を早く穴から出さなきゃね」

若だんなが部屋にいる兄や達に声をかけると、二人が直ぐに、畳を持ち上げにかかる。若だんなは己も手伝おうと、一歩、足を踏み出した。

そして真っ白な、何も決まっていない明日へと、歩みを進めていった。

解説

大森望

第13回日本ファンタジーノベル大賞優秀賞を受賞した畠中恵の小説デビュー作『しゃばけ』が刊行されたのは、二〇〇一年十二月のこと。光陰矢のごとしなどと申しますが、このシリーズが開幕してから、早いもので、もう十一年も経《た》つことになる。

単行本は、二〇〇三年五月に第二弾の『ぬしさまへ』が出て以降、年に一冊のペースで着実に巻を重ね、二〇一二年の『ひなこまち』で十一冊目。文庫本のほうは、第一弾の『しゃばけ』が二〇〇四年三月末刊。二巻目以降は毎年十一月に新刊が出るようになり、この『ゆんでめて』で九冊目になる。シリーズ全体の累計発行部数は、二〇一二年十一月現在で五五〇万部を突破。まさに新潮社の屋台骨を背負って立つ、当代有数の人気シリーズに成長した。

主人公は、お江戸日本橋の廻船問屋兼薬種問屋・長崎屋の跡取り息子、一太郎。生まれついての虚弱体質で、すぐに体調を崩して寝込んでしまうため、めったに外出もできないが、ひとつだけ、他人にはない力がある。祖母が大妖《たいよう》（狐《きつね》の妖《あやかし》、皮衣《かわごろも》）だったおかげで、妖怪や神様の姿を見、話をすることができるんですね。この若だんなが、手代の佐助と仁吉（人間の姿をしているけれど、正体は妖）をはじめとするおなじみの妖怪たちの力を借りてさまざまな事件を解決してゆくというのがシリーズの基本。怪物くんの虚弱体質バージョンというところでしょうか。

最初のうちは〝大江戸人情推理帖〟なんてキャッチフレーズがついていたように、ユーモア時代ミステリーにも分類できますが、巻を追うごとに幅が広がり、〝日常の謎《なぞ》〟や、あんまりミステリーっぽくない出来事が描かれるケースも増えてくる。

一方、ファンタジーの分類でいうと、これは、日常に不思議なものが同居する〝エブリデイ・マジック〟型のロー・ファンタジー（現実からの飛躍度が低いファンタジー）。ジブリ・アニメの「借りぐらしのアリエッティ」で知られるメアリー・ノートン『床下の小人たち』とか、同じジブリの「となりのトトロ」、あるいは佐藤さとる『コロボックル』シリーズなんかの仲間ですね。妖精や小人が日常と同居するように、「しゃばけ」の江戸では人間の暮らしの中に妖が同居して、わいわいがやがや楽しく過ごしている。彼ら、キャラの立ちまくったキュートな妖たちの魅力が人気の秘密。

それともうひとつ、このシリーズの特徴は、毎回おなじパターンをくりかえすんじゃなくて、各巻ごとにさまざまな趣向を凝らしていること。

前巻『ころころろ』は、生目神《いきめがみ》との関わりと若だんなの失明という大事件をめぐる五つの短編がつながってひとつの長編になるという構成でしたが、今回もそれと同じく、短編五話から成る連作。ただし、すでにお読みになった方はおわかりのとおり、とてもユニークな仕掛けがほどこされている。このシリーズにとってユニークというだけじゃなく、時代小説全体（あるいはエンターテインメント小説全般）を見渡しても、過去にあんまり例がないんじゃないでしょうか。

その仕掛けについてはおいおい触れるとして、題名の『ゆんでめて』とは、漢字で書けば、「弓手馬手」。弓を持つ弓手は左手で、馬の手綱を握る馬手が右手。ただしこの場合は、手そのものじゃなくて、左手のほうと右手のほう、つまり左右の方向を差している。「右へ行こうか　左へ行こか」と歌うのは長山洋子の「新宿追分」ですが、兄・松之助のところに子供ができたお祝いを持っていく道中、それと同じような分かれ道にさしかかった若だんなが、本来進むはずだった左ではなく、まちがって右のほうに行ってしまった——という経緯を語る「序」から、物語はスタートする。

第一話の「ゆんでめて」は、その「序」から、いきなり四年先へと話が飛ぶ。松之助の第一子・松太郎が生まれてすでに四年の歳月が経ち、若だんなのまわりにもさまざまな変化が起きている。最大の変化は、屏風《びょうぶ》のぞきがいなくなってしまったこと。一念発起した若だんなは、屏風のぞきをとりもどすため、家を出る……。

第二話「こいやこい」では、若だんなが小乃屋の七之助に頼み込まれ、上方からやってきた五人の娘のうち、だれが七之助の本物の縁談相手なのか見極める手伝いをする。

第三話「花の下にて合戦したる」は、妖たちも含め、関係者総出で飛鳥山《あすかやま》に花見に出かける話。飛鳥山とは、現在の東京都北区王子一丁目にある公園。八代将軍徳川吉宗が享保《きょうほう》の改革で整備して、以来、現在に至るまで、桜の名所として親しまれているんだとか。山と言っても、高さはせいぜい二十五メートルぐらいしかないそうです。

第四話「雨の日の客」では、江戸に大雨が続き、洪水に備えて長崎屋の人々が右往左往することに。ちなみに、寛保《かんぽう》二年（一七四二年）の江戸洪水では、利根川の堤防が決壊して水流が江戸下町を直撃、多数の溺死者《できししゃ》が出たほか、軒まで水没する家屋が続出したというから、佐助が心配するのももっともだ。

第五話「始まりの日」は、〝時売り屋〟という不思議な商売を営む八津屋勝兵衛が若だんなのところに奇妙な相談を持ち込んでくるところから始まる話。

五つの章がそれぞれ独立した短編として読めるのはいつもと同じ。ただし、前述したとおり、本書にはひとつ大きな仕掛けがある。

【ここから先は、本書の仕掛けに触れます。未読の方はくれぐれもご注意ください】

各話の冒頭を読めばわかるとおり、五つの章は、若だんなが分かれ道を反対のほうに行ってしまった日から数えて、四年後、三年後、二年後、一年後、現在――というふうに、一年ずつ時間を遡《さかのぼ》り、分岐点に近づいてゆく構成をとっている。

右に行くか左に行くか、ふたつにひとつの選択で将来ががらっと変わってしまうような人生の〝岐路〟は、本書にかぎらず、映画や小説で何度となく描かれてきたテーマ。もしあのとき、右に曲がっていたら、彼とは永遠に出会えなかったかもしれない——なんてのは恋愛ものの定番ですね。

ただし、そういう分岐そのものを正面から描こうとすると、いろんな工夫が必要になってくる。グウィネス・パルトロウ主演の映画「スライディング・ドア」では、電車のドアが閉まった場合と閉まらなかった場合と、ふたつの運命による恋の顚末が並行して語られる。かんべむさしの往年の短編「決戦・日本シリーズ」では、阪急ブレーブスと阪神タイガースによる日本シリーズの結果、阪急が勝った世界と阪神が勝った世界が上段と下段に分岐して、それぞれ別々に進みはじめる。クリストファー・プリーストの長編『双生児』では、枝分かれしたふたつの世界の歴史が双子を軸に混じり合い、読者を幻惑する。

『ゆんでめて』の場合はどうかというと、小説の冒頭で分岐点を示し、まちがったほうに行ってしまった時間線を四年先から逆行してくる——という、たいへんトリッキーなスタイル。多少なりともこれと似ているのは（ネタバレになるので詳しくは書けませんが）、〝もしあのとき……〟テーマの名作、広瀬正『エロス』とか、（それとは全然タイプが違いますが）フィリップ・K・ディックの短編を原案とする映画「NEXT—ネクストー」とか、時間SF系の作品がいくつか思い浮かぶ。まさか「しゃばけ」シリーズでこんな大ネタがくりだされるとは……という意味でも、著者の飽くなきチャレンジ精神には脱帽するしかない。シリーズものではいわば禁じ手に近い荒技なので、最終話まで来てあっけにとられた人も多かったんじゃないでしょうか。

もっとも、「しゃばけ」全体の世界観からすれば、まったく唐突というわけでもなく、伏線は周到に張られている。

分岐の原因になる（その姿を若だんなが目撃したことで、分岐点をつい右に行ってしまうことになる）神さま、市杵嶋比売命《いちきしまひめのみこと》というのは、スサノオの剣から生まれたという宗像《むなかた》三女神のうちの一柱。全国に四万四千社ある八幡さまの総本宮、宇佐《うさ》神宮に、比売大神として（三女神いっしょに）祭られている。市杵嶋比売は、神仏習合の結果、弁財天と同一視されるようになったんだそうで、その結果かどうか、本書にも琵琶《びわ》を抱いた姿で登場する。ざっくり弁天さまだと思うとイメージしやすいかもしれません（天照大《あまてらすおお》神《みかみ》だとか、卑弥呼《ひみこ》だとかいう説もあるらしい）。

対する生目神こと品陀和気命《ほむたわけのみこと》（誉田別尊）は、第十五代天皇、応神《おうじん》天皇の諱《いみな》（実名との説もある）。同じく宇佐神宮に祭られている八幡大神が、生目神こと品陀和気命だから、二人は――じゃなくて二柱は――八幡さまの大神と比売大神という関係にある。

前巻『ころころろ』の最終話で語られたとおり、生目神は人間とは違う時間の中にいる超越的な存在。本書によれば、この時間線の現在過去未来ばかりか、他の時間線（いわゆる並行世界）をも知覚できるらしい（前作で、人間がつくった罠《わな》にまんまと落ちてむくれていたのと同じ神さまとは思えません）。

　前巻で、神とはいかなる者なのかと生目神に問われた仁吉は、神は祟《たた》る者、犯す者、喰らう者だと答え、「祈り、敬う他に、人としての域を越え、神と関わるべきではありません。（中略）神は側《そば》に寄りすぎた者の持つ時の全《すべ》てを、喰らうのですから」と述べてますが（新潮文庫版『ころころろ』二六四～二六五ページ）、それが正しいとすれば、若だんなは、うっかり市杵嶋比売命のそばに寄ってしまったために〝時〟を喰われてしまったのだと言えなくもない。

　とはいえ、もともと市杵嶋比売に若だんなの人生を狂わすつもりなど毛頭なく、その出来事はただの〝てぬかり〟、そうとは知らずにうっかりしでかしてしまった〝間抜け〟だった。そこで生目神が介入し、運命が分岐する前の時点で比売神に忠告して、若だんなの歩む時間線を馬手の道から弓手の道へと切り替える（あるべき時間線に戻す）。その結果、それまでに語られてきた四話はリセットされて、「始まるのは、知らぬ明日」ということになる。屛風のぞき問題は、思いがけないかたちで解決した（というか、そもそも問題自体が存在しなかったことになった）わけですね。

　じゃあ今まで読んできたのはなんだったの？　と思うかもしれませんが、バタフライ効果（初期条件のごく小さな違いが、結果の大きな違いにつながる）を勘案したとしても、それだけのこと（馬手ではなく弓手の道を選んだこと）ですべてが一変してしまうわけじゃない。やはり水害は起きるだろうし、若だんな一行はいずれ花見に出かけるだろうし、小乃屋の七之助のところにはやっぱり上方から縁談が持ち込まれるだろう。
　もちろんそれらの出来事は、若だんなにとっては、「真っ白な、何も決まっていない明日」だとしても、読者にしてみれば、〝もしかしたらそうなるかもしれない未来〟を垣間《かいま》見《み》てしまったような感覚になる（全人類が二分間だけ未来を見るという、ロバート・J・ソウヤー原作のテレビドラマ「フラッシュフォワード」みたいな感じかも）。
　というわけで、本書の結末だけ見て、「なーんだ、ぜんぶ、〝なかったこと〟になっちゃったのかよ。ちぇっ、読んで損した」と思った人は気が早い。じっさい、この『ゆんでめて』で描かれた〝馬手の道〟の未来は、シリーズの続巻、『やなりいなり』や『ひなこまち』にも微妙なかたちで反映している。この大胆不敵な伏線（支線？）がシリーズの今後にどう生かされるのか、刮目《かつもく》して続巻を待て。

（二〇一二年十月、書評家・翻訳家）

この作品は二〇一〇年七月新潮社より刊行された。

ゆんでめて

新潮文庫　は－37－9

平成二十四年十二月一日発行

著者　畠《はたけ》中《なか》恵《めぐみ》

発行者　佐藤隆信

発行所　株式会社　新潮社

郵便番号　一六二―八七一一
東京都新宿区矢来町七一
電話　編集部(〇三)三二六六―五四四〇
　　　読者係(〇三)三二六六―五一一一
http://www.shinchosha.co.jp

価格はカバーに表示してあります。

乱丁・落丁本は、ご面倒ですが小社読者係宛ご送付ください。送料小社負担にてお取替えいたします。

印刷・大日本印刷株式会社　製本・憲専堂製本株式会社

© Megumi Hatakenaka 2010　Printed in Japan

ISBN978-4-10-146129-8 C0193